D0676082

L'EUROPE

Du même auteur

Une politique industrielle pour l'Europe (en collaboration avec Jean Flory), PUF, 1974.

Oser le dire (sous pseudonyme collectif Galilée, en collaboration avec plusieurs auteurs), Le Seuil, 1986.

L'EUROPE

par Robert Toulemon

DESCLÉE DE BROUWER

76 *bis*, rue des Saints-Pères, 75007 Paris
ISBN 2-220-03288-4
ISSN 1144-7109

INTRODUCTION

L'Europe a connu au cours de la première moitié du XXe siècle ses plus grands déchirements. Depuis 1950, sa partie occidentale a entrepris une construction sans précédent historique : non seulement la réconciliation mais l'union de vieilles nations si longtemps ennemies.

Cette entreprise a soulevé l'enthousiasme d'une minorité de pionniers. Souvent enlisée dans un maquis diplomatique et bureaucratique, utilisant un vocabulaire rébarbatif, elle n'a pas réussi à passionner les citoyens de base. Ils y sont en majorité favorables mais demeurent peu mobilisés. Cependant l'unification de l'Allemagne et la libération des anciennes « démocraties populaires » lui donne un regain d'actualité.

Les passions nationalistes et ethniques qui se déchaînent en Europe centrale et dans l'ancienne URSS montrent ce que nous devons à notre Communauté. Tous les peuples du continent, y compris ceux qui la critiquaient, font aujourd'hui appel à son concours et rêvent de la rejoindre.

Ce petit ouvrage n'a pas la prétention de rendre l'Europe plus populaire. Ceci est l'affaire des politiques. Son objet est de donner à ceux qui désirent prendre une vue d'ensemble du projet européen une information précise et à jour, en mettant autant l'accent sur les aspects politiques et culturels que sur les réalisations économiques beaucoup mieux connues.

L'auteur ne dissimule ni ses opinions ni ses engagements. Il s'est fait un devoir de présenter les objections des adversaires et des sceptiques, en proposant des réponses.

Son vœu est d'apporter sa contribution au grand débat national ouvert à l'occasion de la ratification du traité de Maastricht.

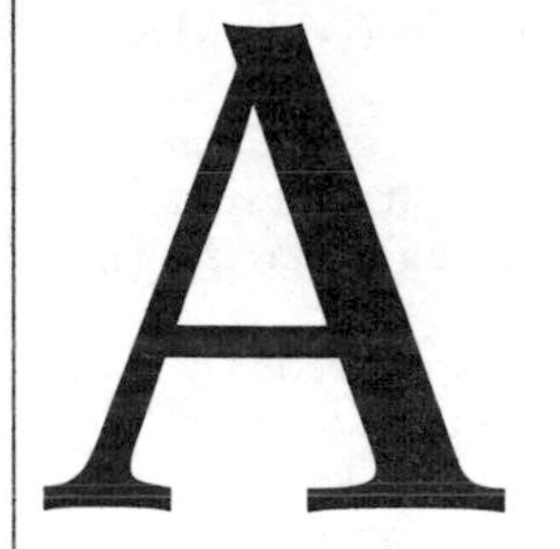

ACTE UNIQUE

L'Acte unique européen est un traité unique ayant un double objet : d'une part apporter des amendements au traité de Rome, d'autre part organiser la coopération politique entre les Douze. Il s'agit par conséquent d'une étape dans le processus de rapprochement entre intégration économique et marche vers l'union politique.

A l'origine de l'Acte unique se situe une initiative de Jacques Delors après sa désignation comme président de la Commission en 1984. Un tour des capitales l'avait convaincu que le seul terrain se prêtant à une relance de la construction européenne, frappée de stagnation depuis 1973, était la réalisation d'un véritable marché unique*. En effet, alors qu'aucun accord unanime ne paraissait possible en matière d'institutions, de monnaie ou de défense, un consensus était apparu en faveur de la réalisation d'un espace sans frontières, élément de relance politique mais aussi économique. A la suite d'un livre blanc rédigé par la Commission et approuvé par le Conseil

* Les astérisques renvoient aux 50 mots traités dans cet ouvrage.

européen, celui-ci décida, lors de sa session de Milan en mai 1985, de confier la négociation d'un nouveau traité à une conférence intergouvernementale. Les négociations se conclurent par un succès en décembre 1985. L'Acte unique fut signé à Luxembourg le 28 février 1986 et entra en vigueur le 1er janvier 1987 après avoir été ratifié par les douze États membres, deux d'entre eux (Irlande et Danemark) après référendum populaire. En France, l'Acte unique négocié par le gouvernement Fabius devait être ratifié sous le gouvernement dit de cohabitation dirigé par Jacques Chirac.

L'objet principal de l'Acte unique était la réalisation fin 1992 d'un espace sans frontières où marchandises, services, capitaux et personnes circuleraient librement. Ainsi le Marché commun* qui se proposait déjà d'établir la libre circulation se trouvait en quelque sorte achevé et complété par la suppression des contrôles aux frontières internes de la Communauté*. En vue de faciliter l'adoption des quelque trois cents directives nécessaires à la réalisation du marché unique, la procédure du vote à la majorité qualifiée s'étendra à tous les domaines concernés, à l'exception toutefois des questions fiscales et des questions relatives au droit du travail et à la libre circulation des personnes.

Enfin la protection de l'environnement* est expressément inscrite parmi les compétences de la Communauté. Les modalités de décision prévoient l'unanimité pour la définition des actions à entreprendre ainsi que pour la définition de ce qui relèvera de la majorité qualifiée au stade de la mise en œuvre.

L'Acte est qualifié d'unique, non par référence au marché unique*, mais parce que « les dispositions sur la coopération européenne en matière de politique étrangère » figurent dans le même traité que les dispositions modifiant les traités communautaires. Le titre III de l'Acte unique se borne à codifier les pratiques développées, jusqu'à présent hors traité, depuis le premier élargissement de la Communauté. Le changement de présidence à chaque semestre est confirmé, de même que le rôle du « comité politique » composé des directeurs politiques des ministères des Affaires étrangères. Un secrétariat dont le niveau et le rôle demeureront modestes est établi à Bruxelles. Il sera absorbé par le secrétariat du Conseil après la ratification des accords de Maastricht*. Il est prévu que les ministres des Affaires étrangères se réuniront au moins quatre fois par an. La stricte séparation entre Conseils communautaires et coopération politique, imposée par la France à l'époque où M. Jobert occupait le quai d'Orsay, est abandonnée. Désormais les ministres pourront traiter des questions de politique étrangère à l'occasion des sessions du Conseil des Communautés. La Commission est « pleinement associée » aux travaux, ainsi que le Parlement* qui sera informé régulièrement par la Présidence.

Les questions relatives à la défense sont abordées de manière très prudente par suite des réticences irlandaises et danoises. Il est reconnu « qu'une coopération plus étroite sur les questions de la sécurité européenne est de nature à contribuer... au développement d'une identité de l'Europe en matière de politique extérieure ». Les États se déclarent « disposés à coordonner davantage leurs positions sur les aspects politiques et économiques de la sécurité ».

Les dispositions politiques de l'Acte unique n'eurent pas de grande conséquence, sinon celle de préparer les esprits à la notion de « politique étrangère et de sécurité commune » qui fera son apparition à Maastricht. En revanche, l'échéance du 31 décembre 1992 allait provoquer, en France notamment, un choc psychologique inattendu et une mobilisation des entreprises comparable à celle qui s'était produite après la signature du traité de Rome. L'Acte unique a marqué, avec l'arrivée de Jacques Delors à la Commission et l'adhésion de l'Espagne et du Portugal, la relance du processus d'union qui paraissait enlisé depuis le premier élargissement*.

AGRICULTURE

« Le Marché commun s'étend à l'agriculture et au commerce des produits agricoles. » Ainsi commence le chapitre du traité de Rome sur l'agriculture qui était une des revendications majeures de la France dans la négociation. Les buts de la politique agricole commune énumérés à l'article 39 du traité sont : le développement rationnel de la production, un niveau de vie équitable pour les agriculteurs, la stabilisation des marchés, la sécurité des approvisionnements et des prix raisonnables pour les consommateurs.

La mise en œuvre effective de la politique agricole commune (PAC) s'est opérée au cours de la première moitié des années soixante grâce aux efforts conjoints d'une forte personnalité néerlandaise issue des milieux agricoles, Sicco Mansholt (vice-président, au même titre que Robert Marjolin, de la première Commission que présidait l'Allemand Walter Hallstein, ancien secrétaire d'État d'Adenauer), et d'Edgard Pisani, ministre de l'Agriculture du général de Gaulle*.

Les principes de la PAC, toujours valables, sont l'unité du marché et des prix, la préférence communautaire et la solidarité financière. Leur mise en œuvre s'effectue, pour les principales productions, par un mécanisme de prélèvements variables sur les produits importés des pays tiers ayant pour objet d'assurer, à l'intérieur, le niveau de prix que l'on souhaite garantir aux agriculteurs communautaires.

A la demande de l'Allemagne*, dont la productivité était relativement faible, les prix des céréales ont été fixés dès le départ à un niveau considérablement supérieur aux cours mondiaux, sujets il est vrai à de fortes fluctuations, mais aussi au prix de revient des exploitations modernes situées dans des régions aux sols fertiles.

Un développement rapide de la production s'en est suivi, d'autant que les rendements à l'hectare ont été multipliés par trois ou quatre suivant les régions. De déficitaire, la Communauté* est devenue excédentaire, d'abord en céréales, puis en produits laitiers et en viande. Les excédents qui n'étaient pas absorbés par l'aide alimentaire ont été bradés sur le marché mondial grâce à des subventions du Fonds Européen de Garantie et d'Orientation Agricole (FEOGA), provoquant le mécontentement des autres grands producteurs mondiaux et en premier lieu des États-Unis.

Cependant la Communauté a aussi considérablement développé ses importations agricoles et alimentaires : produits servant à l'alimentation du bétail (soja, manioc) qu'elle a renoncé à taxer sous la pression conjointe de ses fournisseurs et des éleveurs européens heureux de pouvoir s'approvisionner à bon compte, denrées tropicales qu'elle ne peut produire (café, cacao, arachides), produits méditerranéens (agrumes), dans le cadre d'accords préférentiels avec les pays de la zone.

Enfin, les fruits et les légumes ont bénéficié d'une simple protection douanière, moins efficace que les prélèvements variables, et de mesures de résorption des excédents pouvant aller jusqu'à la destruction de produits non susceptibles d'être stockés.

Le bilan de cette politique est contrasté. Elle a incontestablement favorisé un accroissement spectaculaire de la productivité mais au prix de déséquilibres croissants et à un coût budgétaire (voir Budget*) relativement élevé. Les producteurs des grandes plaines fertiles ont absorbé l'essentiel des crédits destinés à l'exportation des excédents alors que la situation des agriculteurs moins favorisés des régions de montagne, de colline ou de polyculture pauvre demeurait médiocre.

En outre, le rôle de l'agriculture à l'égard de l'environnement a été négligé. On a ainsi laissé se développer des distorsions de concurrence injustifiables entre des formes d'agriculture et d'élevage polluantes (eaux souterraines et eaux de surface) et d'autres modèles d'exploitation qui contribuent au contraire à l'entretien de l'espace rural et du paysage.

Quelques mesures correctives ont été prises, les principales étant les aides accordées aux éleveurs, en particulier dans les zones montagneuses, l'encouragement à la jachère et, dans les pays qui le désiraient, des subventions aux agriculteurs souscrivant à des engagements favorables à l'environnement. La France a beaucoup tardé à appliquer cette dernière mesure qui ne concerne que des zones d'intérêt écologique ou paysager géographiquement limitées. Il reste un énorme effort à faire pour appliquer à la PAC le principe de l'Acte unique repris à Maastricht en vertu duquel les exigences de l'environnement sont une composante des autres politiques.

L'autre problème majeur de la PAC est son adaptation à une situation devenue structurellement excédentaire alors que les États-Unis exercent une pression croissante au sein du GATT* en vue de la limitation, voire de la suppression, des aides à l'exportation.

La Commission a élaboré en 1991 un projet ambitieux de réforme de la PAC qui, tout en maintenant les principes de base, vise à tenir compte à la fois des contraintes budgétaires, des négociations du GATT et des exigences de l'environnement. Les mesures proposées tendent, en remplaçant le soutien des prix des produits par des aides directes, à encourager une forme d'agriculture moins intensive, c'est-à-dire produisant moins à l'hectare mais continuant à occuper l'essentiel du territoire.

La politique de la pêche, longtemps rattachée à la politique agricole, dépend d'une direction générale et d'un Commissaire distincts.

Elle a pour objet la répartition des quotas de pêche (totaux admissibles des captures) entre les États membres en vue de préserver une ressource menacée par des prélèvements excessifs.

La Communauté réglemente également le maillage des filets et s'efforce de limiter ou de proscrire l'usage des filets dérivants utilisés pour la pêche au thon mais nuisibles aux mammifères marins (dauphins).

La Communauté participe au financement de la modernisation des navires et des ports de pêche ainsi qu'aux projets d'installation d'aquaculture.

Enfin, la Communauté négocie des accords de pêche avec les pays tiers et participe aux négociations internationales visant à réglementer les pratiques de pêche.

ALLEMAGNE

La question allemande domine, depuis l'origine, la problématique européenne. Dès 1946, à Zurich, Churchill appelle à la réconciliation et à l'unité du continent. A la fin de la guerre, de Gaulle* s'était prononcé pour une fédération européenne mais sous direction française et avec une Allemagne éclatée. Robert Schuman, dès 1950, engage une politique d'entente franco-allemande qui devait être confirmée et consolidée par de Gaulle et Adenauer signataires en 1963 du traité de l'Élysée.

Dès le temps de guerre, Jean Monnet avait acquis la conviction qu'il ne faudrait pas répéter la politique punitive du premier après-guerre mais organiser une coopération économique franco-allemande autour de la Ruhr et de la Lorraine. Les fédéralistes avaient, à partir d'autres préoccupations, fait la même analyse. Les plus lucides des politiques pensaient que l'Allemagne ne pourrait être durablement encadrée qu'au sein de structures où la France accepterait certaines limitations de souveraineté.

Premier chancelier de la nouvelle République Fédérale issue des trois zones d'occupation occidentale, Adenauer accueillit avec enthousiasme l'offre de Schuman, regretta que l'échec de la Communauté européenne de Défense en 1954 conduise à la renaissance d'une armée allemande et soutint indéfectiblement la politique d'intégration européenne. Il eut à combattre le SPD (parti social-démocrate) de Schumacher, soucieux de ménager les chances de la réunification. Des éléments de son propre parti, tel son vice-chancelier et successeur Ludwig Erhard, père du miracle économique allemand d'après-guerre, avaient tendance à considérer le Marché commun comme un obstacle au libre-échange mondial : « Une erreur économique que nous acceptons pour des raisons politiques. » Erhard est moins attaché qu'Adenauer aux relations franco-allemandes. Il est représentatif d'un courant largement majoritaire qui refuse tout choix entre solidarité européenne et solidarité atlantique. Ce courant fut à l'origine du préambule au traité de l'Élysée dans lequel le Bundestag affirma le lien entre ces deux solidarités fondamentales pour la nouvelle Allemagne.

De 1966 à 1969, Kiesinger dirige sans grand éclat une « grande coalition » formée des sociaux-chrétiens (CDU) et des sociaux-démocrates (SPD). Après les élections de 1969, les libéraux, traditionnellement alliés des chrétiens, les abandonnent et s'allient au SPD qui pour la première fois occupe la chancellerie.

L'arrivée de Willy Brandt, socialiste prestigieux réfugié en Suède sous le nazisme, marque un tournant de la politique allemande. Fidèle à la politique d'intégration européenne, mais ayant peu d'affinités avec Georges Pompidou, le nouveau chancelier engage l'Ost-politik ou politique vers l'Est, déjà amorcée par ses prédécesseurs. Renonçant à l'espoir d'une réunification obtenue par la confrontation avec l'URSS, Brandt conduit avec succès une politique de rapprochement avec l'URSS et ses satellites d'Europe centrale. Il n'hésite pas à s'agenouiller au ghetto de Varsovie.

Willy Brandt, dont l'autorité était déjà entamée, dut démissionner pour avoir eu un espion de l'Est parmi ses proches collaborateurs. Helmut Schmidt, autre forte personnalité, parvint à la chancellerie en 1974, en même temps que Valéry Giscard d'Estaing entrait à l'Élysée. La bonne entente du socialiste allemand et du libéral français favorisa les accords sur la création du Conseil européen, l'élection directe du Parlement* et un peu plus tard la création du système monétaire européen, mais ne permit aucun progrès décisif vers l'Europe politique.

La politique soviétique de surarmement menée par Brejnev à la fin des années soixante-dix est marquée par le déploiement de fusées d'un type nouveau. Les SS 20 font peser une terrible menace sur l'Europe occidentale. Les nouvelles générations allemandes élevées dans la haine du nationalisme et du militarisme sont sensibles à la propagande pacifiste de l'URSS. Celle-ci accompagne avec un habile cynisme le déploiement de ses missiles, alors que le président américain Carter pratique une politique hésitante. Il renonce à la bombe neutronique particulièrement adaptée à la défense contre une attaque massive de chars, alors qu'Helmut Schmidt s'était épuisé à convaincre l'opinion allemande de l'accepter. Désormais, le chancelier voit s'affaiblir son autorité sur le SPD de plus en plus sensible au courant pacifiste. Il doit abandonner la direction du SPD qui, de ce fait, perd les élections de 1980.

Le discours prononcé le 12 janvier 1983 par François Mitterrand, nouveau président de la République française, devant le Bundestag — « les fusées sont à l'Est, les pacifistes à l'Ouest » — apporte un appui inattendu mais précieux au gouvernement chrétien-démocrate nouveau du chancelier Helmut Kohl. Celui-ci éprouve, en effet, à son tour, de grandes difficultés à faire accepter par l'opinion allemande le déploiement des fusées américaines sur le territoire de la République fédérale. Les Soviétiques, constatant l'échec de leur manœuvre d'intimidation, acceptent la proposition occidentale d'un retrait des fusées à moyenne portée, dans le cadre des accords de limitation des armements.

Un peu plus tard, en 1985, l'arrivée au pouvoir de Mikhaïl Gorbatchev à Moscou ouvre une ère nouvelle. Se refusant à employer la force comme l'avaient fait ses prédécesseurs, le président soviétique tolère la révolution démocratique en Pologne et en Hongrie et laisse les Allemands de l'Est manifester leur rejet du régime communiste. Le 10 novembre 1989 le mur de Berlin s'effondre. L'opinion européenne, et pas seulement allemande, accueille avec enthousiasme la libération de la partie orientale de l'Allemagne, même si la perspective de la réunification inquiète les gouvernements d'Europe occidentale.

Les appréhensions de François Mitterrand devant la politique de réunification rapide conduite par Helmut Kohl, l'impression donnée par le président français de rechercher une alliance de revers lors d'une rencontre avec Gorbatchev à Kiev jettent un froid sur les relations franco-allemandes.

L'union monétaire des deux Allemagne se réalise le 1er juillet 1990. La réunification officielle intervient le 3 octobre de la même année. L'URSS a accepté que la nouvelle Allemagne unie demeure membre non seulement de la Communauté européenne mais de l'OTAN, ce qui, pour les Soviétiques, présente l'avantage de maintenir l'armée allemande sous un certain contrôle. Les troupes soviétiques devront quitter le territoire de l'ancienne RDA avant la fin de 1994. En contrepartie, l'Allemagne s'est engagée à verser à l'URSS une énorme contribution financière pour faciliter la réinstallation de centaines de milliers de militaires et de leurs familles. Elle a confirmé sa renonciation à l'arme nucléaire et accepté une limitation de ses effectifs à 385 000 hommes.

Helmut Kohl mesure cependant avec sagesse la nécessité pour l'Allemagne de rassurer ses voisins. Il se décide à reconnaître la frontière germano-polonaise issue de la guerre. Contrairement à beaucoup de pronostics émis par des personnalités françaises suivant lesquelles la nouvelle Allemagne unie se désintéresserait de l'intégration communautaire, le chancelier propose une initiative franco-allemande en faveur de l'Union politique de l'Europe d'où devaient sortir les accords de Maastricht*.

La politique européenne du chancelier Kohl et de son vice-chancelier, ministre des Affaires étrangères, Genscher — également bon européen mais plus attaché à l'ouverture à l'Est —, est cependant loin d'avoir dissipé les inquiétudes que suscite la nouvelle puissance d'une Allemagne réunissant au cœur de l'Europe près de 80 millions d'habitants. Certains reprochent à l'Allemagne son abstention dans la guerre du Golfe et ses hésitations à prendre sa part de responsabilité dans les affaires mondiales. D'autres, au contraire, craignent que l'Allemagne n'en revienne un jour à une politique hégémonique exploitant les atouts de sa puissance économique et de son rayonnement culturel dans une « Mittel Europa » libérée de la domination soviétique. La décision prise en 1991 de rétablir sa capitale à Berlin a contribué à raviver ces inquiétudes.

Les Allemands font souvent observer, non sans raison, que, quoi qu'ils fassent, ils encourent la critique de leurs voisins. L'excès des reproches peu justifiés adressés à l'Allemagne a eu pour résultat de rendre les Allemands peu sensibles aux critiques les mieux fondées.

S'il est injuste de reprocher aux Allemands leur sympathie pour les Croates victimes de l'agression des Serbes, on peut regretter que l'Allemagne, adoptant une attitude par trop unilatérale, ait reconnu la Slovénie et la Croatie sans attendre l'échéance et les conditions fixées par la Communauté.

De même, si la politique de taux d'intérêt élevé pratiquée au début de 1992 par la Bundesbank, ne peut être valablement critiquée, car elle est justifiée par la nécessité de faire face à un danger inflationniste réel, il n'en est pas de même du laxisme budgétaire du gouvernement Kohl ou des revendications salariales excessives des syndicats.

En 1992, l'Allemagne est loin d'avoir résolu les problèmes nés d'une réunification remarquablement pilotée du point de vue politique, mais réalisée dans des conditions économiques et monétaires discutables et à certains égards désastreuses.

L'échange à parité des marks de l'Est et le rapprochement trop rapide du niveau des salaires vers celui de l'Ouest ont conduit à la ruine la quasi-totalité des entreprises de l'ancienne RDA. Le chômage et son indemnisation ont pris des proportions gigantesques. Il en résulte d'énormes charges budgétaires que le gouvernement de Bonn se refuse à compenser par des économies, contrairement aux recommandations pressantes des gouverneurs de la Bundesbank.

En dépit des incertitudes, l'avenir allemand incline d'autant plus à l'optimisme que son passé récent — mais de quarante ans — plaide pour l'Allemagne. Quelques manifestations extrémistes et racistes montées en épingle par les media ne peuvent faire oublier le caractère exemplaire de la nouvelle démocratie allemande.

Quoi qu'il en soit, l'Allemagne existe et occupe en Europe une position centrale. Plutôt que jalouser sa prospérité ou la considérer avec une méfiance toujours en éveil, ses voisins et en premier lieu les Français seraient mieux inspirés en mettant à profit avec moins de réticences sa disponibilité à partager avec eux sa souveraineté non seulement dans le domaine monétaire, ce qui est pour elle et pour elle seule un réel sacrifice, mais aussi en matière de politique étrangère et de défense.

Si dans ce domaine, comme dans celui des institutions, notamment des pouvoirs du Parlement*, les accords de Maastricht* sont demeurés très en deçà du souhaitable, la responsabilité n'en incombe pas à l'Allemagne.

Longtemps l'Europe a été une patrie de substitution pour l'Allemagne où le nazisme avait compromis la notion même de patriotisme national. On a pu craindre qu'ayant retrouvé son unité et sa souveraineté le peuple allemand ne se détourne de l'Europe. Il n'en est rien, du moins en 1992. Ainsi, dès à présent, les trois principaux partis allemands se sont prononcés en faveur de la ratification du traité de Maastricht.

Mais les Français doivent comprendre que l'Allemagne d'aujourd'hui aspire au rôle auquel sa réussite et son poids économique lui permettent de prétendre. Si ses partenaires souhaitent que le poids de l'Allemagne soit mis au service de l'Europe, ils doivent accepter de partager avec elle, en tout domaine, leur souveraineté. Or il leur arrive encore de traiter l'Allemagne sans ménagements, par exemple en organisant sans elle un sommet aux Nations unies ou en convoquant, sans lui offrir le poste d'observateur dont elle était prête à se contenter, une conférence sur les armes nucléaires de l'ancienne URSS. De pareilles bévues pourraient être lourdes de conséquences.

ATLANTISME

Le démarrage de la construction européenne a bénéficié à ses débuts tout à la fois de la menace stalinienne et du soutien américain. Le général Marshall, secrétaire d'État de Truman, lance son plan d'aide à la reconstruction de l'Europe à Harvard le 5 juin 1947, un an avant le congrès de La Haye. Les Américains ont la sagesse de confier aux Européens la répartition de l'aide et de la subordonner à la libération des échanges. Ainsi naît en 1948 l'Organisation européenne de coopération économique (OECE) qui s'établit à Paris et entreprend une tâche qui trouvera plus tard son achèvement au sein du Marché commun.

Le pacte atlantique est signé en 1949 un an après le congrès de La Haye (voir Pères de l'Europe*) et un an avant l'appel de Schuman qui va donner naissance à la CECA*.

Après un temps d'hésitation, les États-Unis appuient le projet de Communauté européenne de défense lancé par René Pleven en octobre 1950. La guerre froide déclenchée par Staline fait rage. Berlin a résisté au blocus grâce à un pont aérien. La Corée du Nord envahit la Corée du Sud qui bénéficie de l'appui des Nations unies et de l'envoi d'un corps expéditionnaire américain auquel se joignent des contingents européens.

Cela n'empêchera pas le président Eisenhower de s'opposer en 1956 à la malencontreuse expédition franco-britannique lancée contre l'Égypte à la suite de la nationalisation par Nasser de la Compagnie du Canal. Au même moment, Eisenhower ne réagit pas à la répression sanglante par Krouchtchev de la révolution démocratique hongroise qui confirme la mainmise soviétique sur la moitié orientale du continent.

Un peu plus tard, après l'échec de la CED en 1954 et la relance qui devait conduire aux traités de Rome (1957), les États-Unis s'abstinrent de soutenir le projet britannique de grande zone de libre-échange qui était négocié dans le cadre de l'OECE. Il s'agissait pour le gouvernement Mac Millan de noyer le Marché commun dans un ensemble plus vaste et sans finalités politiques. L'OECE fit place à l'OCDE (Organisation de Coopération et de Développement Économique) qui cessait d'être une organisation exclusivement européenne. Les États-Unis et le Canada en devenaient membres et seraient bientôt rejoints par le Japon.

Le retour au pouvoir du général de Gaulle* en 1958 allait marquer une évolution complexe des rapports entre les États-Unis et la construction européenne. Pour le général, qui avait d'abord proposé l'établissement d'un directoire à trois de l'Alliance atlantique, l'appui des États-Unis à l'« intégration » européenne était suspect. Loin d'y voir le meilleur moyen pour le vieux continent d'échapper à la tutelle américaine, ce que pourtant la suite des événements démontrera, de Gaulle redoutait de voir l'Europe imposer à la diplomatie française une orientation « atlantiste ».

Son souci de ne pas se lier, sa diplomatie des « mains libres », n'était cependant possible qu'à l'abri du parapluie nucléaire américain et du bouclier constitué par les contingents américains et alliés stationnés en Allemagne. Une telle attitude était surtout parfaitement en contradiction avec l'ambition affichée de construire une Union politique européenne.

La construction d'une force de dissuasion nucléaire indépendante des États-Unis et le retrait de la France de l'OTAN, avec pour conséquence la fermeture des bases américaines établies en territoire français, marquèrent l'apogée de cette politique.

L'appui des États-Unis à la construction européenne devait s'affaiblir peu à peu à la suite des divergences d'intérêts qui apparurent bientôt, en particulier dans le domaine de l'agriculture. Toutefois, la Communauté et les États-Unis parvinrent à des compromis acceptables dans les négociations du GATT*. Jean Rey, négociateur du « Kennedy Round » eut droit aux félicitations du général et succéda à Walter Hallstein à la présidence de la Commission après le succès des négociations en 1967.

John Kennedy avait, au cours de sa brève présidence, lancé le concept d'un « partnership » entre partenaires égaux, plus acceptable pour les Européens que celui de Communauté atlantique. Cependant, les divergences des Européens sur l'union politique ne permirent aucune avancée concrète dans cette direction.

L'enlisement de Johnson au Viêt-Nam écrasé de bombes, mal compris par une partie de l'opinion européenne, notamment parmi les jeunes, eut pour effet d'assombrir quelque peu les relations atlantiques. Nixon et Kissinger adeptes de la « real-politik » prétendirent cantonner l'Europe dans un rôle provincial, tandis que le flottement du dollar, définitivement décroché de l'or, marquait en 1971 le début d'un certain déclin de la puissance économique américaine.

La présidence de Carter, homme de bonne volonté mais aux initiatives malheureuses, fut marquée par l'affaire de la bombe à neutrons qui irrita profondément le chancelier Schmidt (voir Allemagne*), sans apporter de réponse au surcroît de menace résultant du surarmement soviétique.

Ronald Reagan rendit confiance aux Américains davantage par son verbe et sa bonhomie que par le contenu d'une politique économique marquée par les déficits et la facilité. En revanche, son « Initiative de Défense Stratégique », très critiquée, contribua sans doute de manière décisive à convaincre les Soviétiques qu'ils avaient perdu la guerre froide et que leur régime et leur politique ne pouvaient échapper à de profondes réformes. En 1986, le Sommet de Reykjavik révéla cruellement l'impuissance des Européens, résultat de leur manque d'unité. Il s'en fallut de peu qu'un désarmement unilatéral de l'Europe n'y soit décidé entre Reagan et Gorbatchev.

L'effondrement de l'Union soviétique après les vaines tentatives réformistes de Gorbatchev a pour résultat de renouveler complètement les données des relations entre l'Europe et les États-Unis.

Élargie à douze pays, parvenue, malgré des difficultés, à un niveau de prospérité comparable à celui des États-Unis, ayant décidé de conduire une politique étrangère et de sécurité commune, l'Europe ne pourra plus longtemps se dispenser d'assumer une plus large part de sa propre défense*.

Cependant, les menaces ont changé de nature. Personne ne redoute plus une attaque de forces soviétiques en décomposition mais chacun redoute la fuite des armes et des spécialistes nucléaires, alors que les affrontements ethniques se déchaînent en Yougoslavie et dans le Caucase. Dans le même temps, l'agression de Saddam Hussein contre le Koweit et la sympathie dont a bénéficié le tyran de Bagdad dans une large partie du monde arabe a révélé la réalité de nouvelles menaces.

Il est significatif que le premier conflit au cours duquel, depuis la guerre de Corée, les armées françaises ont combattu au côté des forces américaines et britanniques et pratiquement sous commandement américain se soit produit hors de la zone OTAN. Tous ces bouleversements rendent inévitable une profonde transformation des relations transatlantiques à laquelle la politique française pourrait apporter une contribution positive si elle parvenait à s'affranchir des dogmes, au demeurant contestables, hérités de la période gaulliste.

Ni l'indépendance de la force de dissuasion, ni la prétention à un statut distinct dans l'Alliance ne sont aujourd'hui compatibles avec la politique d'union européenne dans laquelle la France est engagée.

Les vraies questions sont les suivantes :

— Quelle est la valeur de l'arme nucléaire face aux nouvelles menaces ?

— Ne convient-il pas de rechercher d'urgence un accord mondial de sécurité nucléaire réservant l'usage des armes nucléaires aux Nations unies ?

— A défaut d'un tel accord, suivant quel calendrier et dans quelles conditions, une autorité européenne démocratiquement légitimée pourrait-elle disposer de la dissuasion nucléaire ?

— Ne convient-il pas d'envisager un élargissement du champ et de l'objet de l'Alliance atlantique, qui pourrait devenir l'association de secours mutuel des démocraties et des États de droit ?

— Dans l'immédiat et avant que les questions précédentes puissent être résolues, quel processus peut permettre à l'Europe de constituer le second pilier de l'Alliance, c'est-à-dire d'établir au sein de l'Alliance des relations égalitaires avec les États-Unis, y compris une possibilité égale d'influencer la politique américaine en Amérique latine, au Moyen-Orient et en Asie ?

— Enfin, à quelles conditions les États-Unis peuvent-ils accepter de renoncer au privilège d'un endettement sans limites et porter avec l'Europe, le Japon et les autres pays développés leur juste part d'un fardeau planétaire qui n'est plus seulement le fardeau de la défense, mais celui de l'écologie et du développement ?

B

BENELUX

Le Benelux désigne une union douanière établie aussitôt après la dernière guerre donc bien avant le Marché commun entre les Pays-Bas, la Belgique et le Luxembourg, ces deux derniers pays étant déjà en union économique et monétaire depuis 1921. Les bases de cette construction avaient été discutées dès le temps de guerre entre les gouvernements des trois pays qui, tous trois, s'étaient réfugiés à Londres en 1940, après l'occupation de leur territoire par les troupes allemandes.

Le Benelux aurait pu évoluer vers une union économique et politique ainsi qu'une disposition expresse de son traité en prévoyait l'éventualité. Cependant la crainte des francophones de Belgique d'être noyés dans une entité largement néerlandophone, ainsi que le particularisme des Luxembourgeois, très attachés à l'indépendance de leur grand-duché, rendait cette évolution difficile.

C'est pourquoi les pays du Benelux qui avaient fait l'expérience réussie de leur union douanière mais ne parvenaient pas à la prolonger au plan politique accueillirent favorablement toutes les initiatives européennes. L'union économique Benelux établie en 1960 a été vite rattrapée et en fait absorbée par la CEE.

Plusieurs éminents hommes d'État des pays du Benelux figurent parmi les Pères de l'Europe* : les Belges Paul-Henri Spaak et Van Zeeland, le Néerlandais Beyen, le Luxembourgeois Bech. Spaak présida la première assemblée du Conseil de l'Europe. La frustration que lui causa l'absence de pouvoir de cette réunion des représentants les plus éminents des parlements d'Europe explique l'enthousiasme avec lequel il apporta son soutien à l'initiative de Robert Schuman en faveur de la Communauté du charbon et de l'acier.

De manière générale, les trois pays du Benelux ont toujours, bien qu'avec des nuances, apporté leur soutien aux institutions communautaires et à leur évolution vers le fédéralisme*. Ils ont toujours vu dans les institutions* la meilleure des garanties contre le risque d'une hégémonie des plus grands États, en particulier de la France* et de l'Allemagne*. Ainsi s'explique leur opposition à la politique du général de Gaulle* favorable à une Europe des États sans institutions politiques supranationales. Ainsi c'est un Néerlandais, le ministre des Affaires étrangères Joseph Luns qui fut à l'origine de l'échec du plan Fouchet d'union politique que de Gaulle voulait strictement interétatique.

Les nuances qui distinguent les positions européennes des trois pays s'expliquent par leur histoire, leur géographie et leurs problèmes internes.

Les Pays-Bas (13 millions d'habitants), longtemps tournés vers la mer et méfiants à l'égard d'un continent d'où venaient les envahisseurs, sont en quelque sorte un peuple de navigateurs et de marchands qui s'est donné un État. Cet État républicain à l'origine l'est demeuré en esprit, même après que le Stathouderat se fut transformé en monarchie. Les Néerlandais sont les plus résolus dans leur méfiance à l'égard d'une hégémonie des grands États. Ils sont loin d'avoir oublié l'occupation nazie, la déportation et le massacre de nombreux Juifs d'Amsterdam. Ils se souviennent aussi des agressions de Louis XIV ou de Napoléon. Longtemps rivaux des Anglais sur les mers, la dernière guerre les a rapprochés de la Grande-

Bretagne dont ils ont été des alliés très fidèles. Bien que leur conception des institutions européennes soit aux antipodes de celles des Britanniques, ils ont été les plus fermes soutiens de l'entrée du Royaume-Uni* dans la Communauté. Ils ont expliqué cette contradiction en considérant que si l'Europe ne pouvait être fédérale et supranationale, il n'y avait pas de raison d'en exclure les Anglais, dont la présence leur paraissait de nature à équilibrer le poids de la France et de l'Allemagne. Espérant qu'une fois dans la Communauté, les Anglais adopteraient des positions plus proches des leurs, ils ont sans doute été déçus de voir Mme Thatcher reprendre avec vigueur certaines des thèses du général de Gaulle. Le même souci de se prémunir contre toute hégémonie proche explique l'attachement des Néerlandais au pacte atlantique et à la présence américaine en Europe. Cependant la pénétration aux Pays-Bas des courants pacifistes a été très forte et a conduit à d'inhabituels conflits dans ce pays très consensuel au moment de la crise des euromissiles. Plus récemment, les Néerlandais sont avec les Britanniques les plus attachés à ce que l'élaboration d'une politique européenne de sécurité n'affaiblisse pas l'OTAN.

La Belgique, un peu moins peuplée que les Pays-Bas (10 millions d'habitants), est un pays de formation plus récente. Les Belges ont acquis leur indépendance en 1830, par séparation des Pays-Bas auxquels ils avaient été rattachés par les traités de 1815, après que la Ire République et Napoléon les eussent annexés à la France. La première caractéristique de la Belgique est de réunir des peuples différents parlant deux langues différentes et qui, s'ils font allégeance à la même dynastie et au même souverain, ont renoncé à constituer une nation. La coexistence des Wallons francophones et des Flamands néerlandophones est d'autant plus difficile qu'au siècle dernier le français n'était pas seulement la langue des Wallons mais celle de l'État et des classes dirigeantes aussi bien en Flandre qu'en Wallonie. Il en est résulté dans le peuple flamand la volonté, soutenue par le clergé catholique, de s'affranchir de la domination culturelle et sociale francophone en imposant peu à peu le seul usage de la langue néerlandaise dans la partie flamande du pays.

Cette évolution amorcée

avant la dernière guerre s'est accentuée ensuite. Le déclin de la démographie et de l'économie wallones, constrastant avec la croissance et l'industrialisation de la Flandre, ont avivé le conflit linguistique. Mais c'est surtout le problème de Bruxelles et de sa périphérie qui a conduit aux plus durs affrontements. Enclave francophone à près de 80 %, en terre flamande, Bruxelles, siège des institutions européennes et de l'OTAN occupe le centre d'une agglomération qui ne cesse de s'étendre. Alors que la population de certaines communes périphériques situées en zone flamande est devenue francophone, les Flamands s'opposent à l'absorption de ces communes par la capitale. Les francophones y ont cependant obtenu des « facilités » en matière d'administration et d'enseignement qui sont autant de sources de contestations.

Les difficultés internes de la Belgique influencent d'une manière plutôt positive son attitude à l'égard de l'Europe. Le Royaume évite les prises de positions trop tranchées et soutient indéfectiblement les institutions européennes, en particulier la Commission établie à Bruxelles et le Parlement qui pourrait bien l'y rejoindre si les vœux de la majorité de ses membres ne se heurtaient à une très vive opposition de la France soutenue par le Luxembourg et d'une manière moins unanime par l'Allemagne. Il y a là une source de conflit qui persistéra tant qu'un accord de siège définitif n'aura pas été conclu pour l'ensemble des institutions européennes.

Trois personnalités belges ont joué un rôle éminent dans les affaires européennes : Jean Rey, négociateur du Kennedy round (GATT*) et successeur de Walter Hallstein à la présidence de la Commission en 1967, le vicomte Davignon diplomate et auteur du rapport d'où devait naître la coopération politique avant de prendre en charge les affaires industrielles à la Commission et enfin Léo Tindemans, Premier ministre de 1974 à 1977 et auteur d'un rapport sur l'Union européenne* demandé par le Conseil européen en décembre 1974 et présenté au début de 1976.

Le grand duché de Luxembourg exerce au sein des institutions européennes une influence sans commune mesure avec le poids infime de sa population qui ne dépasse guère 300 000 habitants et participe à la double culture française et germanique. Siège de la Haute Autorité de la CECA jusqu'à la fusion des Exécutifs en 1967, il a obtenu en contrepartie du départ de la CECA, le transfert depuis Bruxelles de la banque européenne d'investissement ainsi que de quelques services dépendant de la Commission. Il est également, depuis l'origine, le siège de la Cour de Justice* des Communautés, du secrétariat du Parlement* et de l'Office statistique.

Indépendamment de son opposition au regroupement des institutions* à Bruxelles, qui le rapproche de la France, l'autre grand souci européen du Luxembourg est de préserver la fonction bancaire et financière qu'il a réussi à développer en devenant un véritable paradis fiscal.

Ce souci l'a conduit à s'opposer à la proposition d'un prélèvement à la source sur les revenus des capitaux. Il n'est pas sûr que le Grand-Duché puisse maintenir de telles positions dans la future union monétaire.

Sans négliger la défense de ses intérêts, le Luxembourg s'emploie, souvent de concert avec la Belgique, à faciliter la recherche des compromis. L'un de ses Premiers ministres, Pierre Werner, a donné son nom au premier plan d'union économique et monétaire lancé, sans succès immédiat, en 1970. Enfin l'importance de la population étrangère établie dans le Grand-Duché l'a conduit à demander une dérogation à la clause des accords de Maastricht* prévoyant l'octroi du droit de vote et d'éligibilité aux ressortissants des autres États membres dans les élections locales.

BUDGET

Le budget communautaire est le reflet du développement de l'intégration. Bien qu'il croisse à un rythme plus rapide que les budgets nationaux, le montant du budget communautaire est encore relativement limité, si on le compare au montant des budgets nationaux ou à celui du produit intérieur communautaire. Les 65 milliards d'écus du budget communautaire de 1992 équivalent à moins de 1,2 % du produit intérieur. Le seul budget français (environ 1 300 milliards de francs, soit l'équivalent d'environ 186 milliards d'écus) est près de trois fois plus élevé.

Le financement des activités communautaires a été l'occasion de grands débats qui ont parfois conduit à de graves crises. En 1965, le général de Gaulle*, irrité par la tentative de Walter Hallstein, alors président de la Commission, de subordonner l'adoption d'un règlement indispensable au financement de la politique agricole à un renforcement du pouvoir des institutions* (Parlement* et Commission), ouvrit la crise dite de la chaise vide, qui devait être réglée en janvier 1966 à Luxembourg.

Plus tard, la participation britannique au financement de la Communauté* a donné lieu à une longue querelle marquée par une série d'accords bientôt remis en cause, notamment en dernier lieu par Margaret Thatcher, jusqu'à l'accord enfin réalisé en 1984 au Conseil européen de Fontainebleau.

Jusqu'à ces dernières années, les dépenses liées à la politique agricole représentaient plus des deux tiers du budget. En 1992, elles en représentent encore un peu plus de la moitié. La diminution relative de la part de l'agriculture dans les dépenses s'explique à la fois par les efforts faits pour limiter les excédents agricoles et par la montée en puissance des politiques dites structurelles ou de cohésion, correspondant aux besoins et aux demandes de plus en plus pressantes des pays les moins avancés et des régions en crise.

Les pays moins avancés avaient obtenu un doublement des fonds structurels lors de la négociation de l'Acte unique*. Ils ont obtenu à Maastricht* la promesse d'un fonds de cohésion qui doit être créé avant la fin de 1993. Déjà en 1991, les crédits alloués aux fonds structurels avaient pour la première fois dépassé le quart du budget total.

Le troisième chapitre important des dépenses est celui de la recherche*. Le programme-cadre pluriannuel arrêté pour les cinq années 1990 à 1994 s'élève à 5,7 milliards d'écus, soit un montant annuel légèrement supérieur à 1 milliard.

A l'origine contributions des États fixées par le traité, les recettes communautaires sont devenues des « ressources propres » à partir de 1970. Ces ressources étaient constituées par les droits de douane et prélèvements agricoles perçus sur les importations en provenance des pays tiers et une part des recettes de TVA. Une quatrième ressource a été créée en 1988 sous la forme d'une contribution proportionnelle au produit national de chaque État. En 1991, sur un total de ressources de

55,5 milliards d'écus, les droits de douane en représentaient environ 13, les ressources de TVA 30,5 et la quatrième ressource 8,5.

Bien qu'en principe les recettes de la Communauté ne soient pas des contributions des États, sauf dans une certaine mesure la quatrième ressource, ceux-ci ont pris depuis longtemps l'habitude de calculer le montant de ce qu'ils estiment verser au budget commun et de ce qu'ils en retirent. On distingue ainsi des contributeurs nets et des bénéficiaires, les premiers étant naturellement plus disposés que les derniers à l'augmentation du budget.

Cette tendance à évaluer en termes financiers le coût et les avantages de la participation au Marché commun* a de redoutables effets pervers. Elle s'est d'abord manifestée lors des premières crises d'Euratom, chaque État réclamant le « juste retour » de ses contributions, sous forme de dépenses sur son territoire. Elle s'est accentuée avec les revendications britanniques (voir Élargissement*). Elle a eu pour effet de persuader les opinions publiques britannique et allemande que la Communauté coûtait cher à leurs pays. Défendable pour le Royaume-Uni* qui profite moins que les autres des dépenses agricoles et qui est un gros importateur, elle ne résiste pas à l'examen en ce qui concerne l'Allemagne*. Il est en effet clair que les avantages économiques que tire l'Allemagne de son appartenance à la Communauté sont sans commune mesure avec son coût budgétaire.

La France* elle-même, longtemps bénéficiaire à cause du poids de son agriculture, est devenue contributeur net, ce qui est parfaitement normal si l'on tient compte de ce que, après la réunification de l'Allemagne, elle est avec le Luxembourg et le Danemark parmi les trois pays ayant le produit intérieur par habitant le plus élevé.

Il faut aussi tenir compte de l'avantage que tirent les pays les plus développés de l'effort de solidarité consenti en faveur des moins avancés. Ainsi les excédents commerciaux considérables que la France enregistre dans ses échanges avec l'Espagne* et le Portugal sont pour une large part la conséquence des concours que leur consent la Communauté.

C'est à la lumière de ces considérations qu'il convient d'évoquer les propositions de Jacques Delors en vue de

« réussir Maastricht ». La Commission prévoit une augmentation de 20 milliards d'écus sur cinq ans. Les ressources supplémentaires seraient affectées pour 50 % environ aux fonds structurels et au nouveau fonds de cohésion*, le reste allant au renforcement de la compétitivité européenne (recherche* et industrie*) et à l'action extérieure de la Communauté, notamment à l'aide aux pays d'Europe centrale et orientale. Bien entendu, les Länder allemands de l'Est bénéficieront largement des fonds structurels.

Le débat qui s'engage sera d'autant plus difficile que le régime spécial consenti au Royaume-Uni en 1984 arrive à expiration à la fin de 1992. M. Bérégovoy, alors ministre français de l'Économie, des Finances et du Budget, a évoqué l'hypothèse d'un impôt communautaire. En effet, l'évolution vers le fédéralisme devrait conduire à doter le législateur européen (Conseil et Parlement*) d'une responsabilité en matière de recettes. Cette réforme s'imposera le jour où la Communauté s'intégrera dans une Union européenne* exerçant des responsabilités majeures en matière de défense* et d'armements.

Elle aurait dès à présent l'avantage de renforcer la position et le sens des responsabilités du Parlement européen. Le Parlement a acquis depuis longtemps un pouvoir budgétaire non négligeable, y compris une marge d'initiative en matière de dépenses que pourraient lui envier maints parlements nationaux. Il n'est pas normal qu'il n'ait aucune responsabilité en matière de recettes.

Toutefois, pour rendre l'extension du budget et la création d'éventuels impôts européens acceptables pour l'opinion, il faudra démontrer qu'il s'agit pour la Communauté d'assumer des charges qui incombaient auparavant aux États. La croissance du budget communautaire devrait aller de pair avec la décroissance des budgets et des impôts nationaux.

On notera enfin l'incohérence de certains hommes politiques qui tout à la fois protestent contre le poids croissant du budget communautaire et préconisent un élargissement immédiat de la Communauté aux pays d'Europe centrale et orientale sortis ruinés du communisme.

C

CECA

La Communauté européenne du charbon et de l'acier a été créée par le traité de Paris signé le 18 avril 1951 et entré en vigueur en 1952. Jean Monnet, commissaire au Plan, en avait conçu le projet et avait convaincu Robert Schuman, alors ministre des Affaires Étrangères, de l'adopter.

L'appel lancé au salon de l'horloge du quai d'Orsay le 9 mai 1950 peut être considéré comme le point de départ de l'Europe communautaire et de la réconciliation franco-allemande.

L'idée de réunir le charbon à coke de la Ruhr et le minerai de fer lorrain avait été caressée à Alger en pleine guerre par celui qui allait devenir « l'inspirateur » de la politique européenne de la IVe République après avoir planifié la reconstruction de la France (voir Pères de l'Europe*).

Au début des années cinquante, les charbonnages et la sidérurgie font encore figure d'industries fondamentales, bases de la puissance d'un pays, y compris de sa puissance militaire. Des générations de pacifistes ont attribué la responsabilité des guerres aux « marchands de canon ». Outre l'intérêt économique évident que présentait la conjonction de ressources françaises et allemandes complémentaires, cette mise en commun devait marquer, mieux que toute autre mesure, la fin de l'antagonisme franco-allemand.

Le projet de « pool charbon-acier » marquait aussi, après l'échec relatif du Conseil de l'Europe, l'adoption d'une méthode fonctionnelle et sectorielle. « L'Europe ne se fera pas d'un coup, ni dans une construction d'ensemble. Elle se fera par des réalisations concrètes, créant d'abord une solidarité de fait », avait proclamé Schuman le 9 mai. Mais il avait aussi annoncé qu'il s'agissait de réaliser « les premières assises concrètes d'une fédération européenne indispensable à la préservation de la paix ».

L'élément le plus novateur du traité de Paris consistait en l'établissement d'une « Haute Autorité » qualifiée de supranationale, désignée par les États mais, une fois nommée, indépendante des gouvernements. La Haute Autorité était soumise au contrôle d'une Assemblée de 142 membres, émanant des parlements nationaux mais susceptible d'être élue ultérieurement au suffrage universel direct. L'Assemblée pouvait censurer la Haute Autorité par un vote émis à la majorité des deux tiers des voix exprimées et à la majorité absolue des membres.

Un Conseil formé de représentants des États membres était chargé d'harmoniser l'action de la Haute Autorité et celle des gouvernements. Son avis conforme était requis pour les décisions les plus importantes.

Une Cour formée de sept juges était chargée d'assurer le respect du droit dans l'interprétation et l'application du traité.

Ainsi les traits fondamentaux qui sont ceux des institutions communautaires d'aujourd'hui étaient déjà dessinés. Deux différences :

1. L'adjectif « supranational » disparaîtra des traités ultérieurs et le Royaume-Uni* parviendra sans trop de peine à Maastricht* à éviter la réaffirmation de la finalité fédérale, annoncée dès 1950 par Robert Schuman mais absente du texte, sinon de l'esprit, du traité de Paris.

2. La Commission unique, héritière de la Haute Autorité depuis la fusion des institutions intervenue en 1967, n'a plus qu'exceptionnellement le pouvoir de décider mais possède celui de proposer et

d'exécuter. Il est vrai que le traité de Paris, contrairement au traité de Marché commun, traité-loi et non traité-cadre, ne laissait qu'une marge d'interprétation relativement limitée à la Haute Autorité.

La vie de la CECA a été assez rapidement perturbée au plan économique par la crise de surproduction du charbon d'abord et de l'acier ensuite et au plan politique par la querelle de la Communauté européenne de Défense (CED).

La Haute Autorité eut la tâche difficile d'organiser le repli du charbon européen dont la compétitivité fut rapidement compromise par la concurrence des charbons d'outre-mer et surtout par celle du pétrole d'utilisation plus souple aussi bien pour l'industrie que pour le chauffage ou les transports. De même, dès 1960, la pénurie d'acier qui avait caractérisé la période de reconstruction fit place à une situation de surproduction.

Dans l'intervalle, l'échec de la CED et le départ de Jean Monnet, qui avait été le premier président de la Haute Autorité, avaient affaibli l'élan européen, en dépit de l'établissement du Marché commun* général qui laissa subsister quelque temps les institutions propres à la CECA. Celle-ci dut accepter que la restructuration des entreprises sidérurgiques s'opérât dans un cadre plus national qu'européen. En France, où les sidérurgistes avaient subi les conséquences d'un blocage des prix à un niveau insuffisant qu'avait toléré la Haute Autorité, celle-ci ne put s'opposer à l'octroi de subventions à répétitions conduisant à de coûteux suréquipements.

De même la CECA ne put empêcher le maintien de subventions nationales à la production charbonnière. En Allemagne, les producteurs d'électricité sont contraints de brûler une certaine quantité de charbon national acheté à un prix très supérieur à celui du marché mondial. En France, la subvention prend la forme de la couverture du déficit de Charbonnages de France mais n'affecte pas les prix de l'électricité. Cette divergence de politique entre les deux pays rend difficile la nécessaire mise en œuvre d'un vrai marché unique de l'énergie* qui permettrait aux entreprises allemandes de s'approvisionner librement en électricité française moins chère.

En revanche, la CECA a joué un rôle important dans la coordination des recherches, dans la reconversion des mineurs et des sidérurgistes et dans l'établissement d'un marché ouvert. La protection du marché européen de l'acier a été assurée en période de crise par des accords d'autolimitation des exportations américaines et surtout japonaises.

La persistance d'une Communauté juridiquement distincte pour le charbon et l'acier, comme pour l'énergie nucléaire, est une survivance qu'ont laissé subsister l'Acte unique* et le traité de Maastricht*. Il devrait y être mis fin quand une véritable Union européenne* dotée de la personnalité juridique absorbera, sans doute avant la fin du siècle, les trois Communautés.

CITOYENNETÉ

Dès l'origine, la construction européenne a un objectif politique : celui d'assurer la paix sur le continent européen en réalisant entre les peuples de l'Europe « une union sans cesse plus étroite ». Cette idée est bien exprimée par la célèbre formule de Jean Monnet figurant en tête de ses Mémoires : « Nous ne coalisons pas des États, nous unissons des hommes. »

Cependant, à la suite de l'abandon du projet de communauté politique qui devait compléter la Communauté européenne de défense, et des querelles de doctrine qui conduisirent à l'échec du plan Fouchet d'union politique en 1962, la construction européenne a pris une dimension économique de plus en plus importante. Le langage courant en adoptant le vocable « marché commun* » a souligné cette réduction du projet initial.

Les tentatives pour donner une plus grande place aux citoyens dans les institutions européennes ont abouti à un premier résultat en 1979, lorsque ont été organisées simultanément dans dix pays les premières élections du Parlement* européen. Cependant, une « coopération politique » s'était développée entre les États membres au cours des années soixante-dix, après le premier élargissement de la Communauté, hors du cadre communautaire et hors de tout contrôle démocratique.

Dans le rapport sur l'Union européenne rédigé en 1975 par le Premier ministre belge Tindemans pour le Conseil européen, on trouve un chapitre intitulé l'« Europe des Citoyens ». Il y est question de la protection des droits fondamentaux, des droits du consommateur, de la protection de l'environnement et de la suppression des contrôles aux frontières, de mesures en matière d'éducation et de communication, mais non de droit de vote ou d'éligibilité. Beaucoup de ces propositions seront reprises dans l'Acte unique*, en particulier la notion fondamentale d'un espace sans frontières. L'Europe des citoyens n'apparaît cependant pas en tant que telle dans l'Acte unique malgré les propositions d'un comité présidé par le parlementaire italien Adonnino. Des mesures symboliques sont cependant introduites à cette époque : l'officialisation du drapeau bleu azur aux douze étoiles d'or déjà adopté par le Conseil de l'Europe, de l'hymne à la joie de Beethoven, du passeport de modèle uniforme.

De ce point de vue, le traité de Maastricht* marque une novation importante, largement due à l'insistance du Premier ministre espagnol Felipe Gonzales. La deuxième partie du traité est intitulée « la citoyenneté de l'Union ». Elle s'ouvre par ces deux phrases : « Il est institué une citoyenneté de l'Union. Est citoyen de l'Union toute personne ayant la nationalité d'un État membre. »

Certes l'Union n'est pas la Communauté et n'a pas, pour le moment, de personnalité juridique. Cependant, le cadre institutionnel de l'Union se confond avec celui de la Communauté. La logique du développement de la construction européenne devrait conduire assez vite à une structure unique qui donnerait tout son sens à la nouvelle citoyenneté européenne.

Le traité de Maastricht donne un certain contenu à la citoyenneté de l'Union dont il est prévu qu'il pourra être complété par la suite. Le premier droit reconnu aux citoyens européens est celui « de circuler et de séjourner librement sur le territoire des États membres ». Il s'agit d'une nouveauté allant au-delà du droit de circulation ou d'établissement des personnes exerçant une profession. Ce droit intéressera notamment les étudiants, les retraités et les chômeurs. Il ne devrait être limité qu'en ce qui concerne les personnes sans ressources.

Ensuite apparaît une innovation plus fondamentale au plan des principes : le droit de vote et d'éligibilité accordé aux résidents, citoyens de l'Union, à la fois aux élections municipales et aux élections du Parlement européen. Cette disposition a immédiatement soulevé des objections en France, dans le courant gaulliste, fondées sur la participation des élus municipaux à l'élection du Sénat et au parrainage des candidats à la présidence de la République. Ainsi, Jacques Chirac a-t-il réclamé que la France fasse usage de la possibilité de dérogation prévue dans le traité de Maastricht et destinée dans l'esprit du Conseil européen au seul grand-duché de Luxembourg.

Le problème devrait être résolu par une modification constitutionnelle ouvrant aux résidents communautaires le droit de participer limitativement à certaines élections, voire à l'exercice de notre souveraineté. Il serait en effet judicieux de prévoir dès à présent l'hypothèse de participation à toutes les autres élections, même si cette hypothèse va au-delà de ce qui a été décidé à Maastricht. Les conséquences pratiques du droit de vote des étrangers seraient au demeurant fort limitées au niveau national.

Moins critiquée, la reconnaissance du droit de vote et d'éligibilité pour les élections européennes a pour effet de modifier la nature du Parlement qui représentera désormais non plus chaque peuple considéré isolément mais l'ensemble des peuples de la Communauté.

Le traité de Maastricht consent en outre aux citoyens de l'Union se trouvant sur le territoire d'un pays tiers où leur État n'est pas représenté la protection diplomatique et consulaire des autres États.

Il reconnaît enfin aux citoyens de l'Union le droit de pétition devant le Parlement européen et celui de s'adresser au médiateur institué par le traité et qui sera désigné par le Parlement.

La formule « Europe des citoyens » est souvent employée dans le langage communautaire pour désigner celles des politiques ou réalisations supposées intéresser plus directement le citoyen européen : libre circulation et droit d'établissement, mais aussi politique sociale, politique de l'environnement, protection des consommateurs.

On notera l'ambiguïté de ce dernier concept. C'est en effet le souci d'assurer une meilleure protection des consommateurs qui a conduit à certains excès réglementaires, le plus souvent à la demande des experts nationaux, notamment dans le domaine de l'hygiène alimentaire.

Enfin, l'Europe des citoyens devrait être aussi une Europe de la sécurité. La suppression des frontières intérieures offre à la criminalité internationale de nouvelles facilités. Celles-ci doivent être compensées par une étroite coopération entre les services de police et les tribunaux, qui devra conduire assez vite à la création de services communs et à un véritable espace judiciaire européen (voir Schengen*).

COHÉSION

Depuis l'Acte unique européen dont la signature, au début de 1986, a coïncidé avec l'adhésion de l'Espagne et du Portugal, la réalisation du grand marché est associée au renforcement de la cohésion économique et sociale de la Communauté.

Dès la négociation du traité de Rome, l'Italie* se souvenant des conséquences pour son « Mezzogiorno » des conditions de réalisation de sa propre unité, avait obtenu que la mise en œuvre du marché commun soit assortie de mesures destinées à favoriser un développement équilibré de ses différentes parties. En témoigne la longue transition — douze ans — prévue pour l'élimination des droits de douane, le droit reconnu aux États de consentir des aides en vue du développement de leurs régions les moins favorisées, la création de la banque européenne d'investissement dont la mission essentielle était de financer l'équipement de ces régions.

La suppression progressive des obstacles aux échanges a contribué à la croissance économique rapide des années soixante. Les pays membres les moins riches qui étaient alors l'Italie et les Pays-Bas en ont largement profité. L'Italie, en particulier, a connu un « miracle économique » qui l'a rapprochée de la moyenne européenne. Cependant, la réduction des écarts globaux de développement entre pays ne s'est pas accompagnée d'une réduction des écarts à l'intérieur de chaque pays. Avec les premiers élargissements, deux pays sensiblement plus pauvres ont fait leur entrée dans la Communauté : l'Irlande en 1972, la Grèce en 1981. A leur intention, mais aussi à celle des régions en difficulté de tous les États membres, y compris les régions de vieille industrialisation alors en crise, a été créé en 1975, le Fonds européen de développement régional (FEDER). Durant les quatorze premières années de son existence, le FEDER a fourni aux régions les moins développées des subventions s'élevant à 24 milliards d'écus. Il a permis la création ou le maintien d'un million d'emplois et contribué à la réalisation de plus de 40 000 projets, ce qui ne va pas sans un certain « saupoudrage ».

Avec l'adhésion de l'Espagne* et du Portugal, le poids et l'influence des pays moins avancés sont devenus plus importants. Ces pays ont rejoint l'Italie, la Grèce et l'Irlande pour exiger de leurs partenaires une solidarité plus affirmée et faire de la cohésion économique et sociale un objectif majeur de la Communauté. Ils ont obtenu le doublement des fonds structurels : FEDER mais aussi Fonds social et section orientation du Fonds agricole dont les moyens annuels d'intervention sont passés de 7 à 14 milliards d'écus par an pour la période 1987 à 1993.

En même temps, une plus grande cohérence de l'action communautaire était recherchée par la concentration des aides sur les régions les plus défavorisées et la définition de cinq objectifs :

1. Les régions en retard où le produit intérieur par habitant est inférieur de 25 % ou plus à la moyenne communautaire. Ces régions qui bénéficient de 80 % des ressources du FEDER couvrent la Grèce, l'Irlande, le Portugal, de grandes parties de l'Espagne et de l'Italie, l'Irlande du Nord, la Corse et les départements français d'outre-mer.

2. Les zones de reconversion industrielle affectées par un taux de chômage supérieur à la moyenne et le déclin de certaines industries.

3 et 4. La lutte contre le chômage de longue durée et pour l'insertion professionnelle des jeunes. Ces deux objectifs relèvent plus de la politique sociale que de la politique régionale.

5. L'objectif n° 5 concerne à la fois la modernisation des structures agricoles (5.A) et les zones rurales défavorisées (5.B) où la Communauté s'efforce de diversifier les activités et de créer des emplois non agricoles, notamment dans le tourisme et les petites et moyennes entreprises.

La Communauté s'inspire dans sa politique régionale des principes de partenariat (avec les régions et les États), de subsidiarité (programmes conçus et gérés sur place), d'additionnalité (non susbtitution aux efforts des États et des Régions). La création du nouveau Comité des Régions facilitera les contacts entre les institutions communautaires et les représentants des régions. Le souci légitime de cohérence et de prévention du gaspillage a des effets pervers. Il conduit à des procédures extrêmement lourdes qui ont exagérément allongé les délais entre l'élaboration des programmes et leur financement, d'autant que certains États, la France en tête, n'ont pas craint de compliquer encore les circuits financiers pour mieux contrôler la manne venue de Bruxelles.

La négociation qui a abouti aux accords de Maastricht* a été pour les pays du Sud et l'Irlande l'occasion d'obtenir un nouveau renforcement de la solidarité dont ils ont déjà bénéficié. L'Espagne*, en particulier, a fait valoir que ces pays ne pourraient répondre aux exigences de l'union économique et monétaire et de la politique d'environnement sans une aide accrue. Cette demande n'a rien d'anormal si l'on considère l'ampleur des transferts qui s'opèrent dans chaque pays des régions riches vers les régions pauvres à travers le budget national.

Ainsi a été décidée la création, avant la fin de 1993, d'un nouveau fonds, dit fonds de cohésion, qui aura pour objet de financer des équipements et des dépenses relatives à la protection de l'environnement, que les pays moins avancés estimeraient ne pouvoir supporter.

Avant même que ce fonds ne soit créé, il est encourageant de constater que, mise à part la Grèce — qui n'a pas encore réussi à se doter d'une politique de développement cohérente — et le sud de l'Italie — où l'emprise de la mafia constitue un handicap redoutable —, les régions en retard connaissent un rythme de croissance supérieur à la moyenne, un taux d'inflation en baisse et un chômage qui diminue. Le Portugal où le chômage a fait place à une véritable pénurie de main-d'œuvre souffre même d'un emballement conjoncturel au début de l'année 1992, qui l'a obligé à adopter des mesures restrictives.

La solidarité sans cesse accrue dont bénéficient les pays moins avancés de la Communauté, y compris la partie orientale de l'Allemagne*, a une conséquence politique insuffisamment mesurée et rarement mise en lumière. Elle constitue à la fois une incitation très forte pour les pays d'Europe centrale et orientale à rechercher leur adhésion et un engagement implicite de la Communauté à faire bénéficier ces pays d'un niveau de solidarité équivalent, non seulement après leur entrée dans la Communauté mais dès à présent dans le cadre d'associations destinées à préparer leur adhésion. Il en résultera nécessairement un accroissement considérable du budget* communautaire qui fera grincer bien des dents. Mais ne s'agit-il pas en définitive de la meilleure chance pour l'Europe communautaire de consolider la paix sur l'ensemble du continent, mais aussi de stimuler chez elle davantage la croissance et l'emploi et un peu moins la consommation et le gaspillage ? (Voir Énergie* et Environnement*.)

Le défi démographique du tiers monde et le défi écologique global imposeront de toute manière à l'ensemble du monde développé une consommation moindre et des transferts de richesses plus importants. Il serait conforme à la vocation des Européens de montrer la voie dans ce domaine. Ce serait aussi la meilleure manière de servir à long terme l'intérêt bien compris de notre continent, plus lié qu'aucun autre à l'équilibre général du monde.

COMMUNAUTÉ

Le terme de Communauté (en allemand *Gemeinschaft*) apparaît pour la première fois dans le traité signé à Paris le 18 avril 1951 établissant la « Communauté européenne du Charbon et de l'Acier », CECA* à la suite de l'appel historique lancé un an plus tôt, le 9 mai 1950, par Robert Schuman*.

Le même terme devait être utilisé pour qualifier le projet d'armée européenne imaginé par Jean Monnet pour organiser la participation de soldats allemands à la défense de l'Europe face à la menace soviétique. La Communauté européenne de Défense (CED) négociée en 1952 devait être accompagnée d'une Communauté politique. L'un et l'autre projet furent abandonnés à la suite du refus par l'assemblée nationale française de ratifier le traité de CED le 30 août 1954.

Les efforts de relance de la construction européenne concrétisés lors de la conférence de Messine (juin 1955) sur le double terrain de l'énergie atomique, et de l'union douanière aboutirent à la création par deux traités signés à Rome, en mars 1957, de deux nouvelles Communautés : la Communauté européenne de l'énergie atomique plus couramment appelée Euratom, et la Communauté économique européenne (CEE), établissant un « Marché commun ». Contrairement aux pronostics de la diplomatie française, l'Euratom* paralysé par la querelle des filières, fut un échec tandis que le marché commun connaissait un éclatant succès.

Quelques années plus tard, un traité réalisait le 1er juillet 1967 la fusion de celles des institutions des trois Communautés européennes qui ne leur étaient pas déjà communes. En effet, lors de la négociation du traité de Rome, il avait été décidé que l'assemblée parlementaire et la Cour de Justice* seraient communes. Il restait à fusionner les « Exécutifs », ce terme désignant à la fois la Haute Autorité de la CECA, les Commissions de la CEE et de l'Euratom et les Conseils de ministres.

Il s'agit en fait d'une absorption par les institutions de la CEE de celles de la CECA et de l'Euratom, la nouvelle Commission unique demeurant à Bruxelles dans les locaux de la Commission de la CEE, alors que la Haute Autorité siégeait à Luxembourg.

Toutefois la fusion ne portait que sur les institutions*, chacune des trois Communautés poursuivant une existence juridique distincte. Cette séparation, largement fictive, persiste encore aujourd'hui. Ainsi s'explique que l'on puisse indifféremment parler des Communautés ou de la Communauté. C'est en revanche une erreur assez répandue que de parler des Commissions européennes, dès lors qu'il n'en existe qu'une seule depuis 1967.

Il est encore trop tôt pour savoir si le terme de Communauté européenne s'imposera de manière définitive ou s'il sera supplanté par le vocable nouveau d'Union européenne* retenu dans le traité de Maastricht*. Selon ce traité, l'Union européenne repose sur les Communautés européennes (le pluriel est maintenu) et sur les autres formes de coopération décidées dans le domaine de la politique étrangère et de sécurité commune (PESC), et dans celui des affaires dites intérieures et judiciaires (police, immigration, asile, visa, lutte contre la criminalité internationale).

Ainsi, l'Union européenne englobe les Communautés sans les faire disparaître. Seules les Communautés ont la personnalité juridique et seules, pour le moment, elles disposent d'un acquis juridique et politique distinct de celui des États qui les ont fondées. Il eût été plus simple et politiquement plus clair, notamment pour l'opinion publique, de transformer les Communautés en une Union dont les compétences se seraient étendues à de nouveaux domaines. On s'est refusé à le faire pour ménager une étape intergouvernementale dans des domaines politiquement sensibles, sans que soit pour autant exclue l'hypothèse d'une communautarisation ultérieure.

Cette opposition entre coopération interétatique et intégration communautaire est d'une importance capitale pour comprendre les débats autour des institutions européennes et distinguer les projets réels des faux-semblants.

Les avancées de l'Europe sont largement dues aux éléments originaux, supranationaux ou préfédéraux du système communautaire : la prise de décisions à la majorité qualifiée, l'application directe des décisions prenant la forme de règlements (ou lois communautaires) sans qu'il soit besoin de les introduire dans le droit des États membres, l'existence d'organes communs indépendants des États (Commission, Parlement, Cour de Justice), la primauté du droit communautaire et son interprétation par la Cour de Justice.

Cependant les accords de Maastricht* apportent, après l'Acte unique*, une nouvelle atténuation à la séparation entre domaine communautaire et domaine de coopération inter-étatique. Ils affirment en effet l'unité du cadre institutionnel. Ainsi la Commission, sans en avoir le monopole comme en matière communautaire, pourra émettre des propositions dans le domaine de la PESC, de même que le Parlement pourra délibérer et sera consulté. L'exclusion formelle pour les affaires intérieures et judiciaires de la compétence de la Cour de Justice, dont les États redoutent les orientations fédéralistes, n'en marque pas moins le fossé qui sépare encore le domaine communautaire du domaine de coopération interétatique rangé sous le vocable de l'Union européenne. On peut au demeurant se demander si l'utilisation du terme politique commune pour désigner les actions décidées à l'unanimité de douze États et exécutées, non par un organe commun, mais par leurs propres ministres n'est pas un abus de langage destiné à donner l'impression qu'un pas décisif vers l'union politique de l'Europe a été franchi à Maastricht.

CONCURRENCE

Le maintien d'une libre concurrence entre les opérateurs économiques est une des conditions essentielles du bon fonctionnement d'une économie de marché. Son importance a été longtemps sous-estimée en France. Dans un marché commun*, la concurrence a en outre pour vertu d'éviter que le décloisonnement résultant de la suppression des douanes et contingents soit annulé par des accords de non-agression entre principales firmes des différents pays. De même la politique de concurrence a pour objet de limiter les possibilités pour les États d'avantager leurs entreprises par des exonérations fiscales ou des subventions.

Lors de la négociation du marché commun, l'inscription dans le traité d'un chapitre relatif à la concurrence a été demandée par la délégation allemande et sa rédaction largement inspirée par celle-ci. Le traité prohibe les ententes ayant pour objet la fixation des prix, la limitation de la production ou des investissements, la répartition des marchés ou des approvisionnements, la discrimination entre clients et les conditions abusives de transaction (article 85). Il prohibe également l'exploitation abusive des positions dominantes (article 86). Enfin il déclare incompatibles avec le marché commun les aides de toute nature accordées par les États aux entreprises sauf exceptions de droit (aides aux consommateurs ou victimes de calamités) ou soumises à l'appréciation de la Commission (aides régionales ou concernant des projets d'intérêt commun ou autorisées par décision du Conseil).

Ces dispositions ont été complétées par des mesures d'application faisant obligation aux entreprises de notifier à la Commission leurs accords et aux États de modifier leurs aides. Plus récemment, le Conseil a adopté, sous présidence et influence françaises, un règlement soumettant à l'autorisation de la Commission les concentrations conduisant à l'établissement de positions dominantes. C'est en vertu de ce règlement que, sur proposition de Leon Brittan, vice-président de la Commission chargé de la concurrence, l'Exécutif communautaire s'est opposé à l'achat du constructeur d'avions de petite taille de Havilland par le consortium franco-italien SNIAS-Alenia, décision vivement contestée en France.

Ce n'est pas la première fois que la politique de concurrence menée par Bruxelles fait l'objet de critiques à Paris. Les entreprises françaises et le CNPF ont longtemps prétendu que le contrôle des ententes par la Commission constituait un obstacle à la formation de groupes européens. Il est possible que la crainte d'encourir les foudres de Bruxelles relatives à des clauses contestables ait freiné certains rapprochements. Cet élément n'a cependant joué qu'un rôle marginal au regard des nombreux autres obstacles de l'européanisation des entreprises qui sont exposées à la rubrique « Industrie* ».

De même on a tendance à se faire une idée caricaturale à Paris de la primauté que la Commission accorderait à la libre concurrence sur toute autre considération. Tout comme à Londres on prétend, avec le même excès, que la Commission pratique une politique socialiste.

Certes la Commission n'est pas à l'abri de certaines erreurs, soit qu'elle tolère des situations contraires aux dispositions du traité, soit qu'elle se livre à des interprétations contestables. Ainsi dans l'affaire de Havilland on peut se demander si le marché à considérer pour apprécier la position dominante devait se limiter à une catégorie particulière d'avions ou englober l'ensemble de la production.

Cependant le bilan global de la politique de concurrence qui a permis un développement constant de la production et des échanges intracommunautaires est d'autant plus positif que cette politique n'a nullement fait obstacle aux actions de rééquilibrage régional (voir Cohésion*).

Le domaine de la concurrence est le seul où, en vertu du traité, la Commission dispose de pouvoirs propres de décision sous le seul contrôle de la Cour de Justice* : celui d'infliger des amendes aux entreprises (après enquête sur place), celui d'exiger la suppression ou la modification de régimes d'aide, voire d'imposer des restitutions.

Un problème particulièrement délicat se pose à propos des entreprises publiques qui se situent dans le secteur concurrentiel. L'octroi de fonds propres à une entreprise par l'État actionnaire s'apparente à des aides contraires aux règles de la concurrence, si elles ont pour effet de permettre la poursuite d'exploitations structurellement déficitaires. Le problème s'est posé à propos de Renault et a donné lieu à un contentieux difficile. Il se pose en 1992 à propos d'Air-France.

Le traité laisse aux États la possibilité de maintenir, voire d'élargir, le domaine des entreprises publiques mais à la condition que ces entreprises respectent les règles de concurrence. L'article 90 permet à la Commission d'adopter des directives ou décisions appropriées. On peut regretter que, connaissant l'extrême susceptibilité des États membres dans ce domaine, la Commission n'ait jusqu'à présent jamais fait usage de cette faculté, notamment pour imposer aux entreprises publiques l'ouverture effective de leurs achats à la concurrence ou pour promouvoir l'harmonisation des mesures techniques dans le domaine des transports ferroviaires ou des télécommunications.

CONFÉDÉRATION

Une confédération est une association permanente d'États souverains. La Confédération germanique a réuni les États de la vieille Allemagne depuis le Moyen Age jusqu'à la fin du XVIIIe siècle. La Confédération des cantons suisses a conservé son ancienne appellation « Confédération helvétique », bien qu'elle se soit transformée en fédération en 1848.

On a pu dire qu'une fédération était une confédération qui avait réussi. La faiblesse des systèmes confédéraux résulte de l'absence de délégation de souveraineté aux organes communs dès lors condamnés à l'impuissance. Le Général de Gaulle* avait envisagé la transformation de la Communauté, qui présente déjà des traits fédéraux, en « une imposante confédération ».

A Maastricht*, M. Major s'est opposé à la reconnaissance de la vocation fédérale de la Communauté*. Celle-ci constitue une fédération presque achevée dans l'ordre économique, alors qu'elle n'a pas encore atteint le stade confédéral dans le domaine de la politique étrangère et de défense.

Lors de son allocution du Nouvel An de la fin décembre 1990, François Mitterrand proposa de réunir les pays membres de la Communauté et tous les autres pays d'Europe au sein d'une grande confédération dont l'objet serait à la fois le règlement des litiges, la protection des minorités et l'organisation des intérêts communs des Européens dans tous les domaines (économie, transports et communications, environnement).

Pour le Président Mitterrand, il était clair que les pays récemment dégagés de l'emprise totalitaire ne pourraient rejoindre la Communauté, sinon après une très longue transition. Alors que l'Europe de l'Ouest avait vocation à évoluer vers le fédéralisme, qui caractérise déjà les structures de la Communauté économique, un lien moins contraignant était envisagé pour la grande Europe.

Lors des « assises de la confédération » organisées à Prague en juin 1991, il apparut que ce projet ne recueillait qu'un très faible appui de la part des anciens pays communistes et notamment du président tchécoslovaque Vaclav Havel qui accueillait la conférence. En effet, ces pays ont cru voir dans la proposition française une fiche de consolation pour le refus d'envisager à brève ou moyenne échéance leur adhésion à la Communauté. En outre, ils se refusaient à participer à la création d'une nouvelle organisation européenne qui comprendrait l'URSS et exclurait les États-Unis. Or, bien que M. Mitterrand ne se soit pas clairement exprimé sur ce point, il est vite apparu que, pour la diplomatie française, la confédération envisagée ne réunirait que des pays appartenant au continent européen. C'était ignorer la présence américaine et canadienne dans la Conférence pour la sécurité et la coopération en Europe et surtout le rôle du pacte atlantique dans tout ce qui concerne la sécurité européenne. Une offre d'adhésion au pacte atlantique aurait beaucoup mieux correspondu au souhait de pays qui, récemment libérés, peuvent redouter que l'instabilité de l'ex-URSS ne conduise à une nouvelle menace venant de l'Est.

Dès lors la diplomatie française, sans renoncer à son projet, s'est repliée sur l'idée, à laquelle elle aurait pu avoir recours plus tôt, de faire du Conseil de l'Europe le « creuset de la Confédération », formule utilisée par le président de la République à la grande satisfaction de Catherine Lalumière, ancien ministre délégué aux Affaires européennes et secrétaire général du Conseil de l'Europe.

L'évolution de la crise yougoslave et la décomposition de l'ancienne URSS ont cependant montré que les conflits ethniques dans le centre et l'est du continent ne pourraient être résolus au sein d'une structure aussi faible que celle du Conseil de l'Europe, même transformé en confédération. Plus adaptée à la nature du problème, paraît être l'intervention combinée de la Communauté, du Pacte atlantique de la CSCE et des Nations unies, de manière à joindre l'aide économique et si besoin est la menace de sanction, voire l'intervention armée.

Quant à l'évolution ultérieure de l'architecture continentale, il est clair dès à présent que, si l'union européenne s'affirme, c'est autour d'elle, à travers des accords d'association préparant éventuellement à l'adhésion, que s'organisera le continent.

CONSEIL DE L'EUROPE

Le Conseil de l'Europe a été fondé par un traité signé à Londres le 5 mai 1949 et unissant au départ dix pays : les cinq du pacte de Bruxelles — lui-même signé un an plus tôt entre la France*, le Royaume-Uni* et les pays du Benelux*, les trois Scandinaves (Suède, Norvège et Danemark), l'Italie* et l'Irlande.

Le pacte de Bruxelles visait à la défense* de l'Europe occidentale à la fois contre une éventuelle renaissance du danger allemand et contre le nouvel impérialisme soviétique. Le Conseil de l'Europe, qui comprend dès l'origine deux pays neutres (Suède et Irlande), est une organisation pacifique dont l'objet est de favoriser le rapprochement des démocraties européennes demeurées libres.

Il fait suite au Congrès tenu à La Haye en mai 1948 qui avait réuni près de huit cents personnalités, hommes d'État et intellectuels, sous la présidence de Churchill et avait appelé à la constitution d'une union européenne*. Cette proposition allait être reprise par le gouvernement français et soutenue énergiquement par

Robert Schuman devenu ministre des Affaires étrangères en juillet et Paul-Henri Spaak qui exerçait les mêmes fonctions en Belgique. L'objectif était de réunir une assemblée de délégués des parlements nationaux qui serait chargée de préparer le transfert de certains droits souverains des États à une autorité européenne. Toutefois, le gouvernement travailliste britannique du Premier ministre Clement Attlee et du secrétaire au Foreign Office Ernest Bevin était farouchement hostile à tout transfert de souveraineté. Ainsi la nouvelle organisation se trouva réduite à une assemblée consultative dont les résolutions n'engageaient en rien les gouvernements et à un comité des ministres prenant ses décisions à l'unanimité. Le siège avait été fixé à Strasbourg en vue de symboliser le rapprochement franco-allemand.

Le Conseil de l'Europe, à peine né, cessait de porter les espoirs des « Européens ». Paul-Henri Spaak abandonnera bientôt la présidence de l'assemblée après avoir constaté son impuissance et soutiendra avec d'autant plus d'énergie le projet Schuman de pool charbon-acier (voir CECA*).

Le Conseil de l'Europe allait s'élargir progressivement à tous les pays démocratiques d'Europe : Grèce et Turquie en août 1949, Islande, Allemagne* en 1950, Autriche en 1956, Chypre en 1961, Suisse en 1962, Malte en 1965, Portugal en 1976, Espagne* en 1977, Liechtenstein en 1978, Saint-Marin en 1988, Finlande en 1989, enfin Hongrie en 1990, Tchécoslovaquie en février 1991 et Pologne en novembre 1991, soit vingt-six États membres au début de 1992.

Les activités du Conseil de l'Europe ont suivi depuis l'origine trois axes majeurs :

— protéger et renforcer la démocratie pluraliste et les droits de l'homme;

— rechercher des solutions aux problèmes de société;

— favoriser l'émergence d'une identité culturelle européenne.

Bien que le Conseil de l'Europe ait à son actif des réalisations concrètes, principalement dans le domaine des droits de l'homme, ainsi qu'en matière culturelle, sociale et de protection de l'environnement, ses institutions, affaiblies dès l'origine, n'ont jamais réussi à retenir l'attention et à mobiliser le soutien de l'opinion. Les Communautés européennes, dès la création de la

CECA et après la signature des traités de Rome, captèrent l'essentiel de l'intérêt aussi bien des gouvernements que des militants européens. Ainsi s'explique sans doute que le Conseil de l'Europe n'ait pas été considéré comme une structure d'accueil essentielle pour les nouvelles démocraties d'Europe centrale.

L'Assemblée est constituée des délégués des Parlements nationaux, à raison de dix-huit pour l'Allemagne, la France, l'Italie et le Royaume-Uni, douze pour l'Espagne, la Pologne et la Turquie, huit pour la Tchécoslovaquie, sept pour la Belgique, la Grèce, la Hongrie, les Pays-Bas et le Portugal, six pour l'Autriche, la Suède et la Suisse, cinq pour le Danemark, la Finlande et la Norvège, quatre pour l'Irlande, trois pour Chypre, l'Islande, le Luxembourg et Malte, deux pour le Liechtenstein et Saint-Marin. Elle compte au total deux cent quatre membres qui siègent à Strasbourg dans le même Palais que le Parlement européen*, avec lequel il arrive qu'on la confonde.

L'Assemblée élit le secrétaire général, le secrétaire général adjoint, le greffier de l'Assemblée et les juges de la Cour européenne des Droits de l'homme, qui siège également à Strasbourg, tout comme le Comité des ministres. Le personnel du secrétariat comptait environ neuf cents agents en janvier 1992.

Les actions du Conseil de l'Europe prennent la forme de conventions qui ne s'imposent aux États qu'après ratification. Parmi les quelque cent quarante conventions élaborées jusqu'à présent, la plus importante est la convention européenne des Droits de l'homme. Ce traité, entré en vigueur dès 1953, ne se borne pas à énumérer des droits mais institue un système international de protection encore aujourd'hui unique au monde. Les vingt États qui ont ratifié la Convention au début de 1992 s'engagent à garantir ces droits et se soumettent au contrôle d'une commission de juristes indépendants (un par État ayant ratifié la Convention). A défaut de règlement amiable, la commission émet un avis et l'affaire peut être portée devant la Cour européenne des Droits de l'homme composée d'un nombre de juges égal à celui des États membres. Les juges sont élus pour neuf ans et renouvelables par tiers tous les trois ans. Un protocole annexe accorde aux particuliers le droit de saisir directement la Cour.

La France a ratifié la Convention en 1974 et le protocole permettant les recours des particuliers seulement en 1981. Elle a été condamnée pour avoir exagérément prolongé la détention préventive d'accusés avant jugement. Avant elle, le Royaume-Uni avait été condamné pour mauvais traitements infligés à des prisonniers en Ulster.

En dépit de sa notoriété limitée, le Conseil de l'Europe a exercé une influence non négligeable en faveur de la démocratie* en Europe. Ainsi, il n'a pas hésité à suspendre la participation de la Turquie pendant les années de la dictature imposée par les militaires à la suite de la multiplication d'attentats terroristes.

De même, le Conseil de l'Europe a créé un statut d'invité spécial qui lui a permis d'accueillir des observateurs venant des pays d'Europe centrale et orientale en voie de démocratisation. Il a élaboré des programmes d'assistance législative et administrative au profit de ces pays. Sept pays, Bulgarie, Estonie, Lettonie, Lituanie, Albanie, Roumanie et Russie, bénéficiaient au début de 1992 du statut d'invité spécial. La coopération avec la Yougoslavie a été suspendue le 8 octobre 1991 à la suite de l'invasion de la Croatie par l'armée fédérale sous contrôle serbe.

Lorsque François Mitterrand a proposé à la fin de l'année 1990, dans son allocution de vœux, la constitution d'une Confédération* européenne qui serait destinée à accueillir les nouvelles démocraties d'Europe centrale et orientale, il a paru oublier l'existence du Conseil de l'Europe. Cet oubli, en partie réparé depuis, est d'autant plus surprenant que le Conseil a son siège à Strasbourg et que son secrétaire général est une éminente personnalité française, Catherine Lalumière, ancien ministre des Affaires européennes.

Il est devenu clair aujourd'hui que les États d'Europe centrale ne pourront être très longtemps tenus en dehors de la Communauté et de l'Union européenne s'ils parviennent à consolider leur démocratie et à se doter des structures de base d'une économie de marché.

Le Conseil de l'Europe peut les y aider, notamment en favorisant le règlement des problèmes de minorités. Une convention est en cours d'élaboration sur ce sujet. Enfin la CSCE et les Nations unies peuvent apporter leur contribution au règlement pacifique des conflits.

L'organisation politique de la grande Europe pose en réalité deux problèmes dont la solution n'est pas évidente. Le premier est celui des frontières de l'Europe. Celle-ci peut-elle inclure la Sibérie russe et l'Azerbaïdjan musulman ? Le second est celui de l'arbitrage des conflits. L'expérience a montré qu'un arbitrage efficace requiert au moins la menace du recours à la force. Aucune institution exclusivement européenne n'est en mesure de recourir à la force. Ce n'est pas la vocation du Conseil de l'Europe. La Communauté, même transformée en Union européenne, peut difficilement s'instaurer en gendarme, dès lors que ses frontières ne sont pas menacées. Son influence politique déjà grande ne pourrait que gagner à prendre appui sur l'expérience et les travaux du Conseil de l'Europe, seule organisation proprement européenne ayant vocation à organiser la coexistence démocratique et pacifique de tous les peuples du continent. Quant au recours à la force, qui pourrait, hélas ! s'avérer nécessaire, l'expérience yougoslave montre qu'il se conçoit difficilement hors du cadre ou du moins sans la caution des Nations unies. Même avec cette caution, il ne saurait relever du Conseil de l'Europe.

COUR DE JUSTICE

La Cour de Justice dont le siège est depuis l'origine à Luxembourg est une pièce essentielle et originale du système institutionnel communautaire. L'établissement d'un ordre juridique propre, s'imposant aux entreprises, aux citoyens mais aussi aux États membres et à leurs gouvernements, est pour beaucoup dans le progrès constant de la construction communautaire.

La Cour de Justice est chargée d'assurer le respect du droit dans l'interprétation et l'application des différents traités européens. Cependant, le traité de Maastricht* a exclu sa compétence dans l'interprétation des dispositions relatives à la politique étrangère et de sécurité commune ainsi que pour une large partie des affaires dites intérieures et judiciaires. Cette exclusion, de même que l'absence de personnalité juridique de l'Union européenne, marque bien la limite des engagements pris à Maastricht dans ces domaines nouveaux. On peut penser cependant qu'il s'agit d'une étape transitoire qui devrait conduire ultérieurement à l'intégration des trois Communautés et de l'Union dans un cadre juridique et politique unifié.

De même que le Parlement*, la Cour de Justice est une institution née avec la CECA* et rendue commune aux trois Communautés par les traités de Rome. Composée à l'origine de sept juges, elle en compte aujourd'hui treize, assistés de six avocats généraux. Juges et avocats généraux sont nommés d'un commun accord pour six ans, par les gouvernements. Ils sont renouvelables. Un renouvellement partiel a lieu tous les trois ans. Bien que le traité n'en fasse pas une obligation, toutes les nationalités sont représentées au sein de la Cour. Les juges désignent parmi eux, pour trois ans, leur président. Son mandat est renouvelable. M. Jacques Rueff a été juge à la Cour de Justice au temps de la CECA et jusqu'en 1962. M. Robert Lecourt, ancien Garde des Sceaux, a présidé la Cour de 1967 à 1976. Le président de la Cour est un juge danois, M. Due, depuis octobre 1988.

La Cour peut être saisie par la Commission en cas de manquement d'un État. C'est le cas le plus fréquent. Elle peut aussi être saisie par toute personne physique ou morale « destinataire » d'une décision ou directement concernée par elle. Les États peuvent saisir la Cour s'ils estiment que la Commission ou le Conseil ont agi en dehors de la légalité communautaire. Les États et les institutions* peuvent également s'adresser à la Cour si le Conseil ou la Commission s'abstiennent de statuer alors que les traités leur en faisaient obligation. Il s'agit du « recours en carence » utilisé à plusieurs reprises par le Parlement, notamment en ce qui concerne la politique des transports. Enfin, les États peuvent s'accuser mutuellement de manquements devant la Cour après avoir saisi la Commission. Ils se bornent en fait à solliciter officieusement l'action de la Commission.

Une disposition très ingénieuse permet à la Cour de Justice de statuer, à titre préjudiciel, lorsqu'une question portant sur l'interprétation du droit communautaire est soulevée dans une affaire pendante devant une juridiction nationale. Lorsqu'il s'agit d'une juridiction statuant en dernier ressort, la demande d'avis préjudiciel est pour elle une obligation. Le Conseil d'État français, où la défense des prérogatives étatiques contre le risque d'empiètements européens est particulièrement vigilante, a marqué quelque réticence à se conformer à cette obligation. La théorie de l'« acte clair » lui a permis d'éviter de s'adresser à la Cour européenne sous le prétexte évidemment contestable que l'interprétation lui paraissait évidente...

Les litiges entre les Communautés et leurs agents ont longtemps encombré le rôle de la Cour. Ils relèvent désormais du tribunal de première instance de douze membres dont la création prévue par l'Acte unique* est intervenue en octobre 1988. Le traité de Maastricht permet l'élargissement ultérieur des compétences du Tribunal, par décision unanime du Conseil, sauf en matière préjudicielle. Cet élargissement pourrait s'appliquer par exemple aux questions de concurrence ou aux procédures de défense commerciale. Il s'agit d'alléger la charge de la Cour de Justice qui demeure cependant compétente, pour examiner en droit les pouvoirs formés contre les décisions du Tribunal de premières instance.

On a parfois reproché à la Cour de Justice une tendance à interpréter le droit communautaire dans un sens systématiquement favorable aux compétences et aux thèses de la Commission. Un tel jugement est démenti par les nombreux arrêts par lesquels la Cour a annulé ou réformé des décisions de la Commission. Il est exact, en revanche, que la Cour n'a cessé d'affirmer le principe de la primauté du droit communautaire sans lequel l'unité et la cohérence de l'ordre juridique commun ne seraient pas assurées. De même, la Cour a reconnu que les citoyens ou les entreprises pouvaient se prévaloir des articles des traités, des règlements et directives communautaires, alors même que les textes d'application n'auraient pas été pris, soit par suite d'une carence des institutions, soit par défaut d'introduction dans le droit national (directives) ou d'application (règlement). (Voir Exécutif*.)

La primauté du droit communautaire a pour conséquence d'interdire aux autorités nationales, Parlements compris, de contrevenir aux règles communautaires (traités ou actes subséquents). Après une période d'hésitation, les Cours suprêmes ou Cours constitutionnelles des États membres ont admis la primauté du droit communautaire, sur les lois ordinaires même postérieures. En France, si la Cour de Cassation l'a admis depuis longtemps, le Conseil d'État ne l'a reconnu que plus récemment (Arrêt Nicolo du 20 octobre 1989). Le problème de la compatibilité du droit communautaire avec les constitutions des États membres, un moment soulevé par les Cours constitutionnelles allemande et italienne, est en fait résolu par le soin mis par la Cour de Justice à respecter les normes constitutionnelles des États et celles de la Déclaration européenne des droits de l'homme proclamée par le Conseil de l'Europe dont tous les États membres font partie, mais non la Communauté.

Le traité de Maastricht, s'il a exclu la compétence de la Cour dans les nouveaux domaines des affaires étrangères, de sécurité, de justice et de police, a en revanche donné à la Cour pleine compétence pour contrôler les actes des nouvelles institutions créées en vue de préparer et de gérer l'union monétaire et la monnaie unique.

Enfin, le traité de Maastricht a donné à la Cour les moyens qui lui manquaient pour faire respecter ses décisions par les États. Jusqu'à présent, le non-respect d'une décision n'était sanctionné que par un nouvel arrêt de la Cour constatant l'inexécution de l'arrêt précédent. Désormais la Cour pourra condamner à une amende ou à une astreinte les États qui n'exécuteraient pas ses arrêts. On peut s'interroger sur ce qu'il adviendrait si un État se refusait à payer. Sans doute, la Commission opérerait-elle, comme il lui est arrivé de le faire, un prélèvement sur les sommes dues à l'État concerné. Il eût été plus clair de prévoir, en cas de manquement grave et répété, la possibilité de suspension de l'État membre qui refuserait durablement de se conformer à ses obligations. L'hypothèse d'un renversement de la démocratie* dans un État membre devrait logiquement conduire à une telle suspension, mais il serait préférable qu'elle soit expressément prévue et soumise au contrôle de la Cour de Justice.

CULTURE

On prête à Jean Monnet la phrase devenue célèbre : « Si c'était à refaire, je commencerais par la culture. » Ceux qui ont connu l'attachement de l'homme de Cognac aux constructions fondées au départ sur les réalités tangibles de l'économie ont toutes les raisons de penser que ce propos est apocryphe. Authentique en revanche la formule : « Nous ne coalisons pas des États, nous unissons des hommes », illustre bien que les fondateurs de l'Europe avaient en vue d'autres objectifs que le charbon, l'acier, l'atome, l'industrie, le commerce et l'agriculture. Ils étaient conscients de jeter les bases de la seule entreprise susceptible de conduire à une renaissance de l'Europe.

Leur objectif est plus qu'atteint dans l'ordre économique. L'Europe communautaire a potentiellement dépassé dans ce domaine les États-Unis. Elle assure à ses habitants, malgré la crise et le chômage, un niveau de vie et de protection sociale sans égal dans le monde. Il est encore loin d'être atteint au plan politique et culturel. L'échec de la Communauté politique qui devait accompagner la Communauté européenne de Défense (CED), celui du plan Fouchet d'Europe politique interétatique en 1962 mais aussi, à l'exception de Raymond Aron, le manque d'intérêt pour l'Europe, jusqu'à une date récente, de la plupart des intellectuels, expliquent la timidité dont on a fait preuve dans ce domaine.

Les chantiers à ouvrir ne manquaient pourtant pas : internationalisation des universités, reconnaissance et harmonisation des diplômes, échanges d'expériences en matière pédagogique, statut et développement de la télévision, soutien à la création en tous domaines, sauvegarde des monuments, des œuvres d'art, des villes anciennes, des paysages...

La France a dans ce retard des initiatives culturelles une responsabilité particulière. Alors que notre passé et nos traditions auraient dû faire de nous des promoteurs de l'Europe de l'esprit, nous portons la responsabilité de deux échecs : celui d'un centre européen en matière d'enseignement et de pédagogie, cependant proposé par Olivier Guichard alors ministre de l'Éducation Nationale, celui d'une fondation européenne pour la culture qui devait s'établir à Paris. C'était cependant la seule proposition du rapport de 1975 sur l'union européenne* demandé au Premier ministre belge Tindemans que le Conseil européen avait retenue. Elle présentait l'intérêt de lier politique culturelle et Europe des citoyens. Dans l'un et l'autre cas, la diplomatie française s'était opposée à ce que ces institutions fussent créées dans le cadre communautaire et financées sur le budget de la Communauté. Ceux de nos partenaires qui ne tenaient pas particulièrement à ces projets eurent ainsi un excellent prétexte pour s'opposer à leur réalisation.

Il est vrai que l'intervention de la Communauté* dans le domaine culturel a longtemps suscité des craintes au sujet des risques d'homogénéisation, d'effacement des identités nationales ou régionales. En Allemagne en particulier, où les questions d'enseignement, de culture et pour une large part de télévision relèvent non de l'État fédéral mais des Länder, ces derniers admettent difficilement que le gouvernement de Bonn prenne position en leur nom.

Au plan des idées, il est essentiel de montrer qu'une politique culturelle européenne devrait avoir pour objet non d'effacer mais au contraire de soutenir, de valoriser les identités si diverses qui font l'extraordinaire richesse du patrimoine européen.

Le philosophe Edgar Morin a théorisé l'*unitas multiplex*, l'unité dans la diversité qui caractérise le projet européen. L'éthique de la communication du philosophe allemand Habermas complète et enrichit la pensée dialogique de Morin : « Le génie européen n'est pas seulement dans la pluralité et le changement, il est dans le dialogue des pluralités qui produit le changement. Il n'est pas dans la production du nouveau en tant que tel, il est dans l'antagonisme de l'ancien et du nouveau... Autrement dit, ce qui importe dans la vie et l'avenir de la culture européenne, c'est la rencontre fécondante des diversités, des antagonismes, des concurrences, des complémentarités, c'est-à-dire leur dialogique » (E. Morin, *Penser l'Europe*, Paris, Gallimard, 1987).

Le cauchemar d'une uniformisation culturelle et linguistique est unanimement rejeté. Le principe de subsidiarité désormais officiellement reconnu donne aux États et aux régions la garantie que la Communauté limitera ses interventions aux domaines où son action est plus efficace.

Lors de la négociation de l'Acte unique*, la Commission n'avait pas réussi à faire reconnaître une quelconque compétence culturelle à la Communauté. Elle a été plus heureuse à Maastricht. Elle dispose désormais du point d'appui qui devrait lui permettre d'intensifier et d'élargir les efforts déjà entrepris dans le domaine de l'enseignement et de la télévision.

Le programme Erasmus (European Action Schema For the Mobility of University Students) a pour objet de permettre à 10 % des étudiants de faire une partie de leurs études dans un autre pays, les connaissances ainsi acquises étant reconnues par leur université d'origine. Il reste à internationaliser sinon toutes les universités, du moins certaines d'entre elles, à l'exemple de ce qu'ont réalisé un certain nombre d'écoles d'ingénieurs ou de formation à la gestion. Il reste à obtenir la reconnaissance mutuelle des diplômes, notamment pour faciliter l'ouverture à la fonction publique et en particulier à la fonction enseignante de ressortissants d'autres États.

L'action à mener en matière d'enseignement ne saurait se limiter au supérieur. Les Européens ont tout à gagner, dans la crise qui atteint un peu partout les structures éducatives, à confronter leurs expériences heureuses ou malheureuses. Rendre aux enseignants la place qui, à tous égards, devrait être la leur dans notre société pourrait être un objectif commun.

L'apprentissage des langues est aussi un objectif qui intéresse au premier chef l'Europe. Le respect de la diversité commande qu'à côté de la *lingua franca*, qui sera nécessairement l'anglais, le plus grand nombre d'Européens maîtrise au moins une seconde et si possible une troisième langue. Pour cela une seule méthode : généraliser l'apprentissage d'une langue étrangère dès le plus jeune âge. Autre chantier d'importance, la télévision devenue partout le principal moyen d'information et le plus grand entrepreneur de spectacles. L'avenir de l'ambitieux projet de télévision européenne à haute définition est loin d'être assuré face aux réticences des chaînes et à l'annonce d'une technique numérique plus avancée aux États-Unis.

L'essentiel, du point de vue culturel, n'est peut-être pas que l'Europe fabrique les canaux par lesquels passeront les programmes. Il devrait être de promouvoir des programmes qui favorisent à la fois la sauvegarde des identités particulières et la prise de conscience de l'unité du continent. Hélas, cet objectif fondamental a jusqu'à présent beaucoup moins retenu l'attention des gouvernements que l'aide aux entreprises de programmes. Celles-ci ont réussi à faire admettre que la fiction la plus médiocre soit considérée comme une œuvre de création plus digne d'être encouragée qu'un débat entre intellectuels, artistes ou hommes politiques des divers pays. Aussi étrange que cela puisse paraître, seules les œuvres de fiction sont en effet prises en compte dans les quota d'œuvres françaises ou européennes. Rien ne nous garantit aujourd'hui que la « télévision sans frontières » prônée par la Commission sera une télévision au service de l'Europe et de sa culture diverse.

Si important que soit le chantier télévisuel, ce serait une grave erreur de l'isoler des autres aspects de l'éducation et de la politique culturelle. L'objet est de donner au plus grand nombre possible d'Européens le goût et la possibilité d'enrichir leur personnalité en allant vers ce qui ne leur est pas immédiatement familier : les autres langues, les autres cultures, les grandes œuvres du passé et du présent.

Une des chances de l'Europe dans ce domaine c'est qu'il n'est jamais besoin d'aller bien loin pour se dépayser. Être cultivé en définitive, n'est-ce pas avoir le goût du dépaysement ?

DÉFENSE

L'objectif d'une politique commune en matière de sécurité a fait à Maastricht* son apparition dans les traités européens. Seul l'avenir dira s'il s'agit d'un premier pas qui conduira l'Europe à se doter d'une défense commune ou d'un vœu sans conséquence.

L'élaboration d'une défense européenne est le chantier le plus difficile de la construction européenne. Outre que les intérêts vitaux et la souveraineté des États sont en cause, la défense cristallise de profondes différences de situation ou d'appréciation entre États européens. Tous à l'exception de l'Irlande sont membres du pacte atlantique mais, depuis la décision prise par de Gaulle* en 1965, la France ne participe plus aux structures intégrées de l'OTAN. La France* et le Royaume-Uni* disposent de la dissuasion nucléaire alors que l'Allemagne* y a renoncé. Les petits pays se trouvent à l'aise dans l'OTAN qui les protège en quelque sorte contre l'hégémonie de leurs voisins. Le pacte atlantique ou traité de l'Atlantique nord conclu en 1949 a bien servi l'Europe. Alors que la Hongrie en 1956 et la Tchécoslovaquie en 1968 ont pu être envahies par l'URSS sans que les États-Unis réagissent, le pacte, appuyé il est vrai par l'équilibre de la terreur, a garanti la sécurité de ses membres.

Cependant, conclu à une époque où la richesse et la puissance des États-Unis contrastaient avec l'effondrement d'une Europe au demeurant divisée, il donne aux Américains un rôle prééminent qui correspond de moins en moins au rapport des capacités de part et d'autre de l'Atlantique.

L'évolution de l'Alliance vers une structure à deux piliers est en principe acceptée par les États-Unis, depuis la proposition d'un *partnership* atlantique formulée par Kennedy au début des années soixante. Si elle ne s'est jusqu'à présent pas inscrite dans les faits, la raison en est plus les hésitations et les divergences des Européens que la volonté hégémonique des États-Unis. Pour les Américains, avocats du « burden sharing », le *partnership* signifie la prise en charge d'une plus large part de l'effort par les Européens. Or ceux-ci affectent à la défense un pourcentage de leur produit intérieur bien inférieur.

L'invasion du Koweit par l'Irak de Saddam Hussein en 1990 et la guerre autorisée par l'ONU qui s'en est suivie ont révélé à la fois l'existence de nouvelles menaces et la faiblesse des Européens, soit qu'ils aient refusé de participer (l'Allemagne invoquant des raisons constitutionnelles au demeurant sérieuses) ou n'aient apporté qu'un concours symbolique. La France elle-même n'a pu envoyer dans le Golfe qu'environ 12000 hommes alors que le Royaume-Uni en déployait 35000, les uns et les autres dépendant des moyens électroniques et des satellites américains.

La limitation des moyens européens est considérablement aggravée par l'absence d'unité de marché des armements. L'exception prévue à l'article 223 du traité de Rome n'a pas été abolie par l'Acte unique* ni par les accords de Maastricht*. Les coopérations entre Européens ne pallient que très marginalement cette absence d'unité au moment même ou de nouvelles techniques militaires développées par les États-Unis (surveillance électronique, armes guidées, avions furtifs, missiles de croisière) ont fait dans le Golfe la démonstration de leur efficacité.

L'effondrement du communisme et l'éclatement de l'URSS ont profondément modifié l'appréhension des dangers et les perspectives en matière de défense. Si la menace d'une agression soviétique a disparu, celle de guerres locales entre républiques disposant d'armes nucléaires ne peut être écartée. La guerre civile en Yougoslavie, que l'Europe communautaire n'a pu arrêter au début, faute de compétence et de moyens appropriés, donne une idée de ce qui pourrait se produire. Mais c'est le risque d'une prolifération des armes nucléaires, directement par livraisons clandestines ou indirectement par l'envoi de techniciens ex-soviétiques aujourd'hui réduits à la misère, qui constitue le plus grand sujet d'alarme.

Ce bouleversement des données géopolitiques n'est pas pour rien dans l'émergence à Maastricht du concept de sécurité européenne. Il explique que le président Mitterrand ait envisagé pour la première fois, en janvier 1992, l'hypothèse d'une doctrine européenne de dissuasion nucléaire, portant ainsi une première atteinte à l'un des tabous les mieux établis de la politique française, mais aussi l'un des plus contraires à la volonté affirmée de construire une défense européenne. Allant plus loin Jacques Delors a évoqué l'idée du transfert à l'Europe de la force de dissuasion au terme du processus devant conduire à de fortes institutions européennes. La France ne pourra continuer longtemps à plaider en faveur d'une défense européenne moins dépendante des États-Unis sans faire des offres sérieuses à ses partenaires : étendre sur eux son parapluie nucléaire et, à terme, envisager non de le partager — car dans ce domaine le partage n'est pas crédible —, mais d'en confier l'usage à une autorité commune légitimée par un vote démocratique.

Au demeurant, on ne peut exclure que la panique que provoquera la diffusion dans le monde des armes nucléaires ne conduise plus vite qu'on ne pense à en réserver le contrôle et l'usage à une autorité planétaire dans le cadre des Nations unies.

Reste un deuxième dogme français quelque peu entamé dans la pratique mais jamais dans le discours, celui de la non-participation de la France aux structures intégrées et aux commandements de l'Alliance atlantique. Une étude récente du groupe « X Europe » (anciens élèves de l'école polytechnique) montre ce que coûte à la France, en termes d'influence, son exclusion des instances de l'OTAN (comité militaire, comité de planification de défense). L'émergence d'un pilier européen au sein de l'Alliance aurait plus de chances de se construire si, sur ce point également, la position française évoluait.

On peut enfin se demander si la limitation de l'Alliance au champ nord-atlantique répond aux véritables intérêts de l'Europe, compte tenu des nouvelles réalités géopolitiques et notamment des menaces venant du Sud. N'est-il pas significatif que les armées françaises aient été engagées sous commandement américain en Irak, zone hors champ, alors que l'agression serbe en Croatie a laissé l'OTAN indifférente et passive ? Dans l'hypothèse d'une Alliance réformée où l'actuel protectorat ferait place à un véritable partenariat à deux, l'intérêt des Européens serait d'étendre le champ de l'Alliance à la planète entière et d'inviter toutes les démocraties du monde développé à la rejoindre. Alors les Européens, associés sur pied d'égalité aux Américains et pourquoi pas aux Japonais, seraient en mesure de peser d'un poids que leur unité rendrait déterminant en faveur de la recherche de la sécurité des démocraties dans l'édification d'un véritable ordre mondial et non dans une stérile et anarchique confrontation du Nord et du Sud.

DÉMOCRATIE

Depuis l'origine, la construction européenne est liée à la démocratie. La première tentative d'union, celle du Conseil de l'Europe réunit tous les États du continent qui ont échappé au joug totalitaire et disposent de Parlements librement élus. Aujourd'hui encore l'admission au Conseil de l'Europe n'est possible qu'après la tenue d'élections libres.

Bien que plus économiques que politiques au départ, les Communautés européennes ont toujours eu des objectifs politiques comme celui d'établir « les fondements d'une union sans cesse plus étroite entre les peuples européens », ainsi que celui d'« affermir les sauvegardes de la paix et de la liberté », suivant les formules inscrites dans le préambule du traité de Rome. Il s'agissait à l'origine de réintégrer l'Allemagne* dans la famille des démocraties européennes et d'opposer un rempart à l'expansionnisme stalinien. La volonté de se rapprocher de l'Europe communautaire a grandement favorisé l'évolution démocratique de l'Espagne* et du Portugal, tout comme le retour à la démocratie en Grèce après le coup d'État des colonels en 1964, qui avait été sanctionné par la suspension de l'association. Aujourd'hui, l'aspiration des pays d'Europe centrale à rejoindre la Communauté est une puissante incitation à ne pas s'écarter de la voie démocratique. De plus en plus, la Communauté* s'efforce de favoriser l'extension de l'état de droit, du respect des droits de l'homme et du pluralisme politique dans ses relations internationales, notamment dans les pays de l'Est et du Sud. Les prises de position du Parlement européen sont suivies avec attention sur tous les continents.

Le bilan est moins satisfaisant en ce qui concerne les structures internes de la Communauté et plus encore celles de l'Union dont les bases ont été jetées à Maastricht*, en décembre 1991.

L'extension des compétences communautaires a eu pour effet de déposséder les Parlements nationaux au profit du Conseil des ministres, donc des gouvernements, plutôt qu'au profit du Parlement* européen. L'institution d'une procédure de codécision n'apporte qu'un remède partiel au déficit démocratique que l'on reproche au système communautaire. En effet la codécision n'est pas d'application générale et le système retenu à Maastricht ne place pas le Conseil et le Parlement sur un véritable pied d'égalité.

Le déficit démocratique sert d'argument contre l'extension des compétences communautaires à ceux-là mêmes (thatchériens en Angleterre, néo-gaullistes, chevènementistes ou lepénistes en France) qui s'opposent à la démocratisation des institutions.

Ainsi la campagne menée contre la Commission « non élue » ou contre les « technocrates de Bruxelles » ne s'accompagne jamais de la proposition consistant à faire désigner l'exécutif européen par le Parlement ou par les citoyens. Un pas a été fait dans cette voie à Maastricht grâce à la procédure d'investiture de la Commission par le Parlement.

Certains envisagent de démocratiser la Communauté en augmentant les pouvoirs des organes représentant les États : Conseil européen, Conseil de ministres, Parlements nationaux, oubliant qu'ils ne représentent qu'une des deux sources de légitimité*.

Le comblement du déficit démocratique appelle un renforcement de la légitimité populaire des institutions proprement communautaires, Parlement et Commission. Ce renforcement devra intervenir lors des prochains élargissements, faute de quoi l'Union européenne*, loin de répondre à ses objectifs, marquerait un recul en termes d'influence et de capacité d'action par rapport au stade atteint par la Communauté des Douze.

En effet, dans un groupement d'États en cours de constitution, la démocratie n'est pas seulement une exigence éthique. Elle est l'instrument sans lequel ne peut se développer dans les différents pays un sentiment d'appartenance et de destin communs. Les élections européennes sont encore loin de jouer ce rôle intégrateur. Elles ne le rempliront pleinement que lorsque les citoyens seront appelés à choisir entre des programmes européens défendus par des équipes plurinationales. Cet objectif pourrait être atteint par l'organisation des partis politiques sur une base européenne, dont le parti populaire européen (démo-chrétiens) et l'internationale socialiste ne sont que de pâles ébauches. La réforme la plus efficace serait celle qui conduirait à présenter aux électeurs des listes plurinationales pour l'élection du Parlement, dont une fraction des membres pourrait être élue dans une circonscription couvrant l'ensemble de l'Union, ou mieux encore, pour l'élection du collège exécutif au suffrage universel direct.

Le droit de vote consenti aux nationaux d'autres pays pour les élections européennes et locales est un pas dans la direction d'une citoyenneté* européenne dont l'importance psychologique et symbolique est loin d'être négligeable. Ainsi s'ouvre un débat d'un grand intérêt entre ceux qui estiment que l'État-nation est le cadre indépassable de la démocratie et ceux qui, comme les fédéralistes, considèrent que la complexité du monde moderne exige une extension de la démocratie à tous les niveaux d'exercice du pouvoir : de la communauté locale à la communauté planétaire.

ÉLARGISSEMENT

La Communauté* qui groupait à l'origine six pays (Allemagne*, France*, Italie*, et les trois pays du Benelux*) a connu jusqu'à présent trois élargissements successifs : au 1er janvier 1973, l'adhésion du Royaume-Uni*, du Danemark et de l'Irlande, au 1er janvier 1981, celle de la Grèce, et au 1er janvier 1986, celle de l'Espagne et du Portugal.

Le traité de Rome dispose que « tout État européen peut demander à devenir membre de la Communauté ». L'admission d'un nouveau membre requiert une décision unanime du Conseil et, depuis l'Acte unique*, l'avis conforme du Parlement*. Pour qu'une candidature ait des chances d'être acceptée, l'État candidat doit disposer d'un régime démocratique, accepter l'acquis communautaire ainsi que les objectifs politiques de la Communauté*. Les conditions de l'admission font l'objet d'un traité qui doit être ratifié par les Parlements nationaux ou par référendum.

Sont actuellement candidats à l'adhésion trois pays neutres appartenant à l'AELE, l'Autriche, la Suède et la Finlande. Ont également manifesté le souhait de devenir membres : la Turquie, Malte et Chypre. Le

Maroc, n'étant pas situé en Europe a dû renoncer à sa candidature. La Hongrie, la Pologne et la Tchécoslovaquie se sont fixé, depuis leur libération, l'objectif de rejoindre le plus tôt possible la Communauté. Enfin un débat est engagé dans deux autres pays de l'AELE, la Norvège, qui avait renoncé à adhérer en 1972 à la suite d'un référendum, et la Suisse, modèle d'Europe en réduction mais viscéralement attachée à une démocratie directe difficilement compatible avec l'appartenance à la Communauté.

Le premier élargissement a été l'occasion d'une longue querelle qui a opposé la France à ses partenaires tout au long des années soixante. Le général de Gaulle*, estimant que le Royaume-Uni n'était pas prêt à accepter la politique et les disciplines communautaires, notamment agricoles et commerciales, et à rompre ses liens privilégiés avec les États-Unis, avait abruptement mis fin en janvier 1963 aux négociations engagées par le gouvernement Mac Millan.

Les conditions d'admission du Royaume-Uni, négociées en 1970-1971 par le gouvernement conservateur d'Edward Heath, firent l'objet d'une « renégociation » suivie d'un référendum (en 1975) par le gouvernement travailliste d'Harold Wilson. Devenue Premier ministre en 1979, Margaret Thatcher remit de nouveau en question la « contribution » du Royaume-Uni au budget* commun. Un compromis sur cette épineuse question, qui avait empoisonné le climat communautaire pendant des années, a été conclu au Conseil européen de Fontainebleau en juin 1984.

Les élargissements suivants posèrent moins de problèmes, mise à part la mauvaise gestion de leur économie par les autorités grecques, qui n'a pas permis à ce pays de tirer pleinement avantage de son adhésion, en dépit des aides considérables qu'il reçoit de la Communauté. En effet l'adhésion de pays de l'Europe du Sud moins développés pose un problème de « cohésion* ». Par des fonds structurels, la Communauté se doit de contribuer au comblement de l'écart. Cette évolution est bien amorcée pour l'Irlande, le Portugal et l'Espagne qui connaissent des rythmes de développement supérieurs à la moyenne communautaire. Elle devrait être encore facilitée par la création d'un nouveau fonds dit de cohésion obtenu par l'Espagne à Maastricht*.

La prochaine admission de

l'Autriche, de la Suède et de la Finlande ne posera guère de problèmes techniques ou budgétaires, l'économie de ces pays étant déjà très liée à celle de la Communauté et leur niveau de développement analogue. En revanche, la revendication d'une neutralité permanente serait en contradiction avec la pleine participation de ces pays à la politique étrangère et de sécurité commune dont le principe a été approuvé à Maastricht.

D'une tout autre ampleur seront les problèmes posés par l'éventuelle adhésion des pays de l'Europe centrale et orientale. Dans la meilleure des hypothèses, leurs économies ne pourront supporter le choc de la concurrence avant une phase d'établissement et de consolidation de l'économie de marché qui pourrait exiger une dizaine d'années. Dès lors se pose la question d'une éventuelle association politique à l'Union européenne* assortie d'un statut d'association à la Communauté économique. Cette formule est envisagée pour la Hongrie, la Tchécoslovaquie et la Pologne où la démocratie semble consolidée et qui sont géographiquement et politiquement les plus proches. Ces trois pays ont conclu en 1991 des accords d'association qualifiés d'« accords européens ». Leur adhésion rapide à l'Union européenne, sans adhésion immédiate à la Communauté économique, permettrait d'éviter une attente trop longue qui risque d'être ressentie comme une exclusion. Mais elle introduirait un nouveau facteur de dissociation entre union économique et union politique alors même que la consolidation de l'union européenne requiert une structure unitaire. On peut aussi se demander si ces pays seraient intéressés par une forme d'adhésion ne leur permettant pas d'être pleinement intégrés à l'union économique et monétaire.

Ces considérations sont à l'origine du projet de confédération*, avancé sans grand succès jusqu'à présent par le président Mitterrand.

La multiplication des candidatures pose le problème des limites souhaitables de l'Union européenne. Le sommet de Maastricht a rappelé que tout État européen « dont le système de gouvernement est fondé sur le principe de la démocratie peut demander à devenir membre de l'Union ». Cette formule tout comme celle du traité de Rome exclut les candidats dont la totalité du territoire se situe hors du continent européen (Maroc). Elle semble en revanche laisser la porte ouverte à des pays dont la plus grande partie du territoire (Russie, Turquie) et parfois de la population (Turquie) se situe hors d'Europe, ce qui pourrait être discuté.

Les limites de l'Union posent en fait deux problèmes non résolus à ce jour :

— Un problème de compatibilité. Le succès de l'Europe communautaire a été possible dès lors qu'aucun pays par sa masse ne pouvait prétendre à l'hégémonie. Une Allemagne réunifiée de 80 millions d'habitants inquiète parfois alors que sa population représente moins du quart de la population totale de l'Union. Qu'en serait-il en cas d'adhésion de la Russie ? Enfin on peut s'interroger sur l'opportunité d'admettre, sinon avant une très longue période probatoire, des pays n'ayant aucune tradition démocratique (républiques issues de l'ex-URSS) ou appartenant à un monde culturel et religieux très éloigné du monde culturel européen et où existent de fortes tendances à l'intégrisme islamiste (Turquie).

— Un problème d'efficacité fonctionnelle. Outre le problème des langues officielles et de travail dont le nombre devra être limité, le mode de délibération d'un Conseil composé d'une vingtaine de ministres devra être revu. Chacun des membres ne pourra s'exprimer à plusieurs reprises comme aujourd'hui lors des tours de table successifs. Une méthode de délibération de type parlementaire s'imposera en matière législative, tandis que les fonctions exécutives devront être confiées à un collège désigné démocratiquement.

Le Conseil européen lui-même devra limiter ses délibérations plénières aux problèmes vraiment essentiels et pratiquer largement la délégation, soit à son président, soit au collège exécutif.

Ces difficultés conduisent certains « Européens », notamment en France, à souhaiter retarder le plus possible l'adhésion des pays d'Europe centrale et orientale — François Mitterrand avait un moment parlé de plusieurs décennies. Nous devons cependant contribuer à stabiliser la démocratie dans ces pays en leur offrant une perspective crédible de rapprochement de la Communauté.

Mais l'essentiel est de préparer l'opinion à l'acceptation de structures à la fois fédérales et démocratiques sans lesquelles l'élargissement aurait pour résultat non un renforcement mais un affaiblissement de l'Europe.

ÉNERGIE

La politique énergétique relève des trois traités : de la CECA* au titre du charbon, de l'Euratom au titre du nucléaire, et de la CEE au titre du pétrole, des économies d'énergie et de l'environnement*.

Les divergences de situation et d'orientation des États membres expliquent les difficultés d'élaboration d'une politique commune de l'énergie. Deux pays, le Royaume-Uni* et les Pays-Bas sont exportateurs de pétrole et de gaz, la France* dispose de surplus exportables d'électricité nucléaire, l'Allemagne* subventionne indirectement son charbon en obligeant les électriciens à l'acheter à un prix anormalement élevé, l'Italie* dispose de gaz naturel mais s'est imposée un moratoire nucléaire.

Le très bas prix du pétrole jusqu'à la crise de 1973 n'avait guère facilité les efforts en vue de la promotion des programmes nucléaires ou des économies d'énergie.

Lors du premier choc pétrolier, les États membres ont donné le regrettable spectacle du chacun pour soi, la France allant jusqu'à refuser de participer à l'Agence internationale de l'énergie pourtant créée à Paris dans le cadre de l'OCDE.

Cependant, quelques progrès ont été accomplis depuis : définition d'objectifs énergétiques, programmes d'encouragement aux nouvelles technologies, à l'efficacité énergétique et au développement des énergies renouvelables.

Une charte européenne de l'énergie en cours de négociation devrait servir de cadre à une coopération énergétique renforcée entre l'Est et l'Ouest de l'Europe.

Cependant, les deux problèmes fondamentaux de la politique de l'énergie ne sont pas résolus. Il s'agit de l'intégration des marchés énergétiques nationaux et de la lutte contre les émanations de gaz à effet de serre.

Le marché unique serait évidemment incomplet et imparfait si n'était pas établi un marché intégré de l'énergie. Or, en dépit de l'Acte unique* et de Maastricht* les difficultés dans ce domaine demeurent considérables.

La Commission a dû renoncer, face aux réactions des États membres, à imposer par décision unilatérale l'aménagement, voire la suppression des monopoles nationaux, comme cependant pouvait sembler l'y autoriser l'article 90 du traité CEE visant les entreprises publiques. Elle s'attache désormais à une harmonisation des législations qui sera difficile.

La France voit d'un bon œil les facilités nouvelles qui pourraient en résulter pour ses exportations d'électricité nucléaire mais redoute la mise en cause du monopole d'EDF.

L'Allemagne ne paraît pas disposée à renoncer à un système qui garantit la survie de ses charbonnages.

La Grande-Bretagne et les Pays-Bas hésitent à mettre en commun, en cas de crise, leurs réserves nationales de pétrole et de gaz.

La Commission a déjà proposé, pour une première étape couvrant les années 1993 à 1995, la suppression des monopoles de production et l'accès des tiers au réseau pour les gros consommateurs et les principaux distributeurs. La réalisation complète du marché intérieur de l'énergie interviendrait à partir de 1996.

La lutte contre l'effet de serre, dont il est désormais généralement reconnu par la communauté scientifique qu'il constitue un danger réel, pose un défi autrement redoutable. En effet, contrairement aux gaz menaçant la couche d'ozone, pour lesquels existent des substituts, la production de gaz carbonique (CO_2) est inhérente à toute combustion comme à de nombreux processus naturels. La réduction de l'usage des combustibles fossiles offre la seule voie permettant de limiter les émanations de CO_2.

Aussi la Commission a-t-elle proposé l'objectif très ambitieux d'une stabilisation des émissions à la fin du siècle au niveau atteint en 1990 et l'institution d'une « écotaxe ». Cette taxe frapperait à la fois l'énergie tirée des combustibles fossiles et, bien qu'à un taux réduit, l'énergie d'origine nucléaire qui n'est pas productrice de CO_2 mais présente d'autres inconvénients, notamment celui d'imposer une gestion à très long terme de déchets dangereux.

Il est certain que le problème est appelé à occuper longtemps les instances européennes et internationales. L'Europe pourrait en effet difficilement imposer à ses utilisateurs d'énergie des charges que ne subiraient pas ses principaux concurrents.

ENVIRONNEMENT

La protection de l'environnement a fait son entrée dans les traités européens avec l'Acte unique* : « L'action de la Communauté a pour objet :

« — de préserver, de protéger et d'améliorer la qualité de l'environnement ;

« — de contribuer à la protection de la santé des personnes ;

« — d'assurer une utilisation prudente des ressources naturelles. »

A ces trois objectifs le traité de Maastricht* a ajouté :

— « La promotion, sur le plan international, de mesures destinées à faire face aux problèmes régionaux ou planétaires d'environnement. »

Les modalités de l'action de la Communauté* déjà fixées par l'Acte unique (principe de l'action préventive, correction par priorité à la source, pollueur-payeur, environnement composant des autres politiques) ont été précisées dans le traité de Maastricht : « La politique de la Communauté dans le domaine de l'environnement vise un niveau de protection élevé, en tenant compte de la diversité des situations dans la Communauté. Elle est fondée sur les principes de précaution et d'action préventive, sur le principe de correction, par priorité à la source, des atteintes à l'environnement, et sur le principe du pollueur-payeur. Les exigences en matière de protection de l'environnement doivent être intégrées dans la définition et la mise en œuvre des autres politiques de la Communauté. »

Enfin, à la demande des pays les moins avancés, il a été convenu que l'on tiendrait compte « du développement économique et social de la Communauté dans son ensemble et du développement équilibré de ses régions ».

L'Espagne a obtenu la création d'un Fonds de cohésion* destiné à contribuer au financement des dépenses d'équipement et d'environnement notamment lorsqu'une mesure « implique des coûts jugés disproportionnés pour les pouvoirs publics d'un État membre ». Des dérogations temporaires sont également prévues dans ce dernier cas. En sens inverse, un article autorisant chaque État à prendre « des mesures renforcées » qui avait été introduit dans l'Acte unique à la demande du Danemark a été maintenu tel quel dans le traité de Maastricht.

Enfin les décisions en matière d'environnement qui demeuraient soumises à l'unanimité passent sous le régime de la majorité qualifiée, avec cependant quatre exceptions importantes. Demeurent soumises à l'unanimité les dispositions de nature fiscale, concernant l'aménagement du territoire, la gestion des ressources hydrauliques et les grands choix énergétiques.

La Communauté n'a pas attendu l'Acte unique pour agir dans le domaine de l'environnement. Dès 1971, une division spécialisée était créée au sein de la direction générale des affaires industrielles, technologiques et scientifiques (D.G. III). Le communiqué du sommet de Paris d'octobre 1972 contenait un paragraphe relatif à l'environnement et annonçait l'établissement d'un programme d'action qui devait être approuvé par le Conseil en juillet 1973. Trois autres programmes devaient suivre, le quatrième couvrant la période 1987-1992.

La Communauté ne pouvait en effet se désintéresser de l'environnement pour des raisons de principe tenant aux objectifs généraux de rapprochement des politiques, de développement harmonieux des activités économiques, de relèvement du niveau de vie, énoncés à l'article 2 du traité de Rome, ainsi que pour des raisons liées à un bon fonctionnement du marché commun*. Faute d'harmonisation communautaire, les réglementations nationales n'auraient pas tardé à provoquer distorsions de concurrence et obstacles aux échanges.

Depuis une vingtaine d'années la législation communautaire a couvert un grand nombre de domaines : l'air, l'eau, les produits chimiques, la sécurité nucléaire, la protection de la nature et des ressources naturelles, la gestion des déchets et le développement de technologies propres.

Les mesures les plus importantes et parfois les plus controversées ont concerné les gaz d'échappement des véhicules à moteur (pots catalytiques, carburants sans plomb), les normes à respecter en matière d'eau et pour différents usages, l'émission sonore de nombreux produits (automobiles, appareils ménagers, tondeuses à gazon), l'inventaire des produits chimiques dangereux, les doses de radiation admissibles et, à la suite de la catastrophe de Tchernobyl, les niveaux limites de contamination des produits alimentaires.

La protection de la nature a donné lieu à l'adoption de directives visant la sauvegarde des habitats naturels (biotopes) et celle des oiseaux migrateurs. Certaines de ces dispositions, mettant en cause des pratiques de chasse, qui pour être traditionnelles n'en sont pas moins contestables, ont suscité le mécontentement des chasseurs de palombes ou de tourterelles du Sud-Ouest. Elles sont souvent citées comme exemple de ce que certains considèrent comme un excès de réglementation de la part de la Communauté.

La gestion des deux milliards de tonnes de déchets, dont trente millions classés déchets dangereux, que produisait la Communauté en 1990-1991, a également donné lieu à des dispositions particulières concernant les huiles usagées, les vieux papiers, les emballages pour boissons, les piles usées et les déchets de matière plastique. Cependant la Communauté n'est pas parvenue jusqu'à présent à harmoniser la taxation des mises en décharge ni à éviter les effets protectionnistes de certaines mesures relatives aux emballages. Ainsi la réglementation allemande concernant les emballages plastiques a de lourdes conséquences pour les exportateurs français d'eaux minérales.

Après avoir pris des mesures réparatrices au titre des premiers programmes d'action de 1973 et 1977, la Communauté s'efforce de donner priorité aux mesures préventives. Les études d'impact avant la réalisation des grands équipements ont été généralisées.

L'application effective par les États de la législation communautaire et le contrôle de son respect par les opérateurs économiques prend de plus en plus d'importance et demeure un problème mal résolu.

La mise en place d'une Agence européenne de l'environnement dont la création a été décidée en 1990 a été retardée par la querelle des sièges. La France s'est en effet opposée à toute décision concernant la localisation de nouvelles institutions tant qu'elle n'obtenait pas de garanties concernant le maintien du Parlement* à Strasbourg. L'Agence est destinée à constituer la tête d'un réseau de recueil de données objectives et comparables sur l'état de l'environnement. Bien qu'il ne soit pas envisagé de lui confier une mission d'inspection, on peut espérer que son action contribuera à une application plus uniforme et plus régulière de la législation communautaire.

Enfin, la Communauté a un rôle important à jouer dans les négociations internationales visant à répondre aux défis écologiques planétaires : atteintes à la couche d'ozone de la haute atmosphère, menaces de changement climatique par suite de l'effet de serre résultant de l'augmentation de la teneur de l'atmosphère en gaz carbonique (CO_2), disparition ou menace de disparition de nombreuses espèces animales ou végétales, conséquence de la surexploitation des forêts tropicales et du commerce d'animaux sauvages ou d'éléments prélevés sur les animaux (ivoire, cornes de rhinocéros, oiseaux exotiques, etc.), accumulation de populations pauvres dans des agglomérations immenses où ne peuvent être assurées des conditions de vie convenables.

Ces questions donnent lieu à de vifs affrontements entre pays développés, principaux consommateurs d'énergie et de matières premières, et pays du Sud à démographie galopante et peu soucieux de se voir imposer des limites ou des contraintes à leur développement. Elles seront débattues lors de la conférence convoquée par les Nations unies à Rio de Janeiro en juin 1992, vingt ans après la conférence de Stockholm.

Tout en admettant la capacité de la Communauté de conclure des accords avec les pays tiers et les organisations internationales, les États membres ont expressément réservé leur propre compétence en ce domaine. Dès à présent quelques accords importants ont été conclus, notamment ceux, périodiquement revus, qui visent à protéger les espèces menacées (convention de Washington) et ceux plus récents qui visent à la protection de la couche d'ozone (convention de Montréal visant à la réduction de l'usage des chloro-fluorocarbones).

La mise en place du marché unique* ne sera pas sans effet sur l'environnement. L'accélération de la croissance et celle du transport* des personnes et surtout de marchandises entre États membres auront des conséquences négatives qu'il conviendra de corriger et mieux encore de prévenir.

Les principales questions à l'ordre du jour sont l'institution d'une écotaxe sur l'énergie*, la mise en œuvre de la nouvelle directive sur l'usage des nitrates adoptée fin 1991, première et timide tentative de faire face aux effets pervers de l'agriculture intensive, la récupération et le recyclage des déchets qui devront autant que possible être traités sur place.

L'opinion dans les différents pays membres porte un intérêt croissant aux questions écologiques. Cet intérêt et l'ampleur des défis planétaires permettent de prévoir que la protection de l'environnement, y compris l'adoption d'un modèle de société plus économe des ressources naturelles non renouvelables, sera l'un des principaux enjeux des débats politiques européens de l'avenir.

ESPAGNE

Après une guerre civile meurtrière, de juillet 1936 à mars 1938, qui permit au général Franco d'établir un pouvoir dictatorial, l'Espagne réussit à se tenir à l'écart de la guerre mondiale. L'appui qu'Hitler et Mussolini lui avaient apporté, alors que les démocraties française et britannique se bornaient à laisser partir des volontaires au service de la République espagnole, plaça Franco dans une situation difficile à la fin de la guerre. Cependant il parvint assez vite à rompre son isolement à la faveur de la guerre froide en offrant aux États-Unis des bases militaires en territoire espagnol (accord de 1953).

Un peu plus tard Franco fait appel à des ministres catholiques à la fois conservateurs et modernisateurs, dont beaucoup appartiennent à l'ordre séculier catholique *Opus Dei*. L'Espagne entre à partir des années soixante dans une phase de développement accéléré qui lui permet de rattraper une partie de son retard économique et se tourne vers l'Europe. La voie de l'adhésion lui est fermée tant que persiste la dictature, mais elle obtient en 1970 la signature d'un accord avantageux qui ouvre largement à ses produits l'accès au marché commun alors qu'elle-même peut maintenir un rythme de libération plus lent.

La démocratisation très habilement conduite, après la mort de Franco en novembre 1975, par le roi Juan Carlos, permet à l'Espagne de présenter enfin sa candidature. L'adhésion à la Communauté* européenne sera pour l'Espagne à la fois la reconnaissance de sa modernisation et une garantie contre le retour au passé. En février 1981, une tentative de coup d'État menée par le commandant Tejero échoue grâce à la fermeté de Juan Carlos. L'adhésion au Pacte atlantique intervient en 1981 en dépit de l'opposition des communistes mais aussi des socialistes qui s'y rallieront après leur arrivée au pouvoir en 1982. Le Premier ministre Gonzales prend le risque d'organiser un référendum sur le maintien de l'Espagne dans le Pacte. Ce pari jugé perdu d'avance, à cause du ressentiment des Espagnols pour l'appui apporté par les États-Unis à Franco, fut cependant gagné.

Les négociations d'adhésion à la Communauté furent plus longues et plus difficiles. Commencées en 1977 elles ne s'achevèrent qu'en 1985 et l'adhésion ne devint effective qu'au 1er janvier 1986 en même temps que celle du Portugal.

Il avait fallu résoudre les délicats problèmes posés par la concurrence des produits agricoles espagnols de type méditerranéen et octroyer à l'Espagne, comme au Portugal, un calendrier relativement long pour l'élimination de toute protection. En France en particulier les résistances furent vives, notamment de la part des milieux paysans et du RPR. Cependant l'opposition parvenue au pouvoir en 1986 ne remit pas en cause un accord qui était déjà signé et ratifié par la France.

Les conséquences de l'adhésion de l'Espagne ont été plus satisfaisantes pour elle et pour la Communauté qu'on ne s'y attendait. Le développement économique, stimulé par d'importants investissements étrangers, s'est accéléré sans que le chômage soit pour autant résorbé. Cependant l'importance de l'économie souterraine permet de penser que le pourcentage des sans-emplois est inférieur à celui qui apparaît dans les statistiques. Pour ce qui est de la France, les difficultés que l'on avait prévues, notamment dans le secteur agricole, ne se sont pas produites et les exportations françaises en Espagne, y compris dans le secteur agro-alimentaire, se sont accrues plus vite que les ventes espagnoles en France.

Au plan politique, l'Espagne a participé activement aux négociations qui ont conduit à l'Acte unique* et au traité de Maastricht*. Le Premier ministre socialiste Felipe Gonzales, en fonction depuis décembre 1982, a acquis une stature internationale. Il s'est fait l'avocat de l'Europe des citoyens et a obtenu la création d'un Fonds de cohésion* destiné à développer la solidarité financière dont bénéficient déjà les pays les moins riches de la Communauté à travers les fonds dits structurels (fonds régional, fonds social, section orientation du FEOGA).

En effet la préoccupation majeure de l'Espagne, comme du Portugal, de la Grèce et de l'Irlande, est de combler son retard par rapport à la moyenne communautaire et de remplir les critères lui permettant de participer à l'union monétaire. Une politique de taux d'intérêt élevés pallie les faiblesses de la politique budgétaire et assure à la *peseta* une très bonne place dans le SME.

Le problème principal de l'Espagne est celui de la lutte contre les séparatistes basques de l'ETA qui, n'ayant pu l'emporter dans les urnes, ont recours aux attentats terroristes et bénéficient de l'appui du parti Herri Batasuna. La nouvelle démocratie espagnole a cependant consenti une large autonomie au Pays basque ainsi qu'à la Catalogne, où la Généralité de Barcelone veille à la sauvegarde de la langue et de la culture catalanes.

Après les années de dictature, la société espagnole a connu une période de libération véhémente et de rejet du passé, la *movida,* positive dans beaucoup de ses aspects mais négative à d'autres égards. Ainsi l'Espagne souffre particulièrement du développement de l'usage de la drogue et de différentes formes de délinquance. La libéralisation de l'usage des drogues dites douces n'a pas été un succès et pose un problème délicat au moment où l'on prépare la suppression des contrôles aux frontières (voir Schengen*). Cependant, ni la pression du terrorisme, ni la réaction possible de l'opinion contre certains excès ne semblent pouvoir remettre en cause la démocratie* et l'appartenance à l'Europe.

EURATOM

La Communauté européenne de l'énergie atomique (CEEA) a été créée en même temps que la Communauté économique par un traité signé à Rome en mars 1957. Elle a disposé d'institutions qui lui étaient propres (Commission et Conseil) jusqu'au traité de fusion, entré en vigueur en 1967. Elle constitue, avec la CECA*, un type de communauté sectorielle, qui a correspondu, dans les années cinquante, à la conception que se faisaient les Français, à commencer par Jean Monnet, de l'intégration européenne. L'histoire a désormais et depuis longtemps pris un autre cours et seul le conservatisme des structures existantes explique la survivance juridique des deux communautés spécialisées qui, à vrai dire, ne constituent plus que deux domaines relativement marginaux de l'intégration économique générale et à l'intérieur de celle-ci, de la politique de l'énergie.

Si l'Euratom est le seul projet sectoriel qui ait été ajouté au marché commun général, cela est dû aux circonstances de l'époque. L'intervention militaire franco-britannique à Suez en novembre 1956, à la suite de la nationalisation par Nasser de la Compagnie du canal, avait, en interrompant momentanément l'approvisionnement de l'Europe en pétrole du Moyen-Orient et en provoquant une hausse de prix considérable, démontré l'extrême dépendance de l'Europe en matière énergétique.

L'utilisation pacifique de l'énergie* nucléaire, qui ne rencontrait alors aucune opposition, paraissait fournir une solution. L'objectif de l'Euratom était de coordonner les programmes de recherche déjà lancés par les États ou qu'ils s'apprêtaient à lancer.

La France disposait d'une avance dans ce domaine sur ses partenaires grâce à l'existence d'un Commissariat à l'énergie atomique (CEA) créé après la libération. Lors des négociations du traité, la France venait de prendre la décision (en 1954, sous le gouvernement Mendès-France) de se doter d'une capacité militaire. L'objectif de la France, dans la négociation, était la mise en commun des recherches sur l'utilisation pacifique de l'atome assortie d'un contrôle sur les matières fissiles, destiné à séparer les installations militaires et les installations pacifiques. Une agence d'approvisionnement devait également contribuer à éviter tout détournement de matières fissiles à des fins militaires.

A la différence du marché commun dont le général de Gaulle* allait faciliter la mise en œuvre en mettant la France en mesure d'y participer, l'Euratom subit les conséquences du changement de politique européenne à Paris. Très vite un conflit politique aggravé par des rivalités d'équipes scientifiques condamna l'Euratom à la paralysie. Alors que la Commission présidée successivement par deux Français éminents, l'ingénieur humaniste Louis Armand, bientôt vaincu par la maladie, puis l'ancien commissaire au Plan et militant européen Étienne Hirsch, entendait assurer la mise en commun des recherches prévue par le traité, le Commissariat français à l'énergie atomique soutenu par le général de Gaulle considérait le Centre commun de recherches créé par la Communauté comme un concurrent qui ne pouvait travailler qu'au profit de partenaires dont les recherches nationales étaient encore embryonnaires.

L'avance française en matière nucléaire avait été à l'origine de l'intérêt de la France pour le projet d'une communauté nucléaire à laquelle la IVe République aurait sans doute consenti la mise en commun des acquis, des efforts et des résultats. Elle devenait, sous une Ve République plus nationaliste et égocentriste, la raison d'une méfiance qui, avec la guerre des filières, allait se muer en hostilité déclarée. Alors que la France avait placé tous ses espoirs dans la filière graphite-gaz à uranium naturel, dont la France est bien pourvue, la Commission et les autres pays estimaient plus judicieux de développer en Europe la filière à eau légère et uranium enrichi d'origine américaine. Ainsi la Commission était-elle accusée par Paris de prêter la main à une sorte de mise en tutelle nucléaire de l'Europe, alors qu'elle avait obtenu des conditions avantageuses de livraison d'uranium enrichi par les États-Unis. Le conflit devait contraindre Étienne Hirsch à la démission et à son remplacement par un successeur plus docile.

Autres causes de difficultés : la séparation entre recherche et industrie, qui ne permit pas à la filière organique dite Orgel, développée avec succès dans le Centre commun de recherches, de trouver le moindre débouché industriel ; la tendance des différents États à développer des centres nationaux ; et surtout le retour à l'abondance énergétique et à des prix du pétrole extrêmement faibles, qui enlevaient tout intérêt immédiat au recours à l'énergie nucléaire.

Le général de Gaulle ayant quitté le pouvoir, son successeur Georges Pompidou autorisa Électricité de France à commander des centrales de type américain plus compétitives que les centrales graphite-gaz chères au CEA. On aurait pu espérer alors que la nécessité de doter l'Europe d'une capacité d'enrichissement de l'uranium offrirait à l'Euratom une occasion de relance qui aurait dû bénéficier en outre de la fusion des institutions et de l'intégration des agents, plus ou moins découragés, de la Commission d'Euratom dans les services de la Commission unique.

Cependant, la France hésitait à européaniser ses capacités d'enrichissement créées d'abord à des fins exclusivement militaires tandis que certains de ses partenaires, irrités par le veto français à l'adhésion du Royaume-Uni, nouaient avec celui-ci un accord visant à développer une nouvelle technique d'enrichissement de l'uranium par centrifugation gazeuse.

Le Centre commun de recherches, dont le principal établissement avait été créé à Ispra près du lac de Côme et qui avait recruté près de deux mille chercheurs, a été condamné à mener une existence précaire sans vocation affirmée avant qu'il ne s'engage dans de difficiles opérations de reconversion, notamment dans le domaine de l'environnement.

Le seul domaine où Euratom a connu le succès est celui des recherches sur la fusion thermonucléaire contrôlée. Un appareil dénommé Tokamak destiné à réaliser le confinement de la matière portée à des températures extrêmes a été construit à Culham près d'Oxford. Des résultats significatifs ont été obtenus qui mettent l'Europe en bonne place dans une course de très longue haleine, le passage au stade industriel n'étant pas prévu avant plusieurs dizaines d'années. Il reste à déterminer si, comme l'espèrent ses promoteurs, la fusion contrôlée permettra à l'humanité de disposer d'une énergie peu coûteuse, inépuisable et sans danger.

La prise de conscience des dangers et des coûts à long terme de l'énergie nucléaire, qui s'est développée en Europe et aux États-Unis depuis une vingtaine d'années, a contribué aussi à la paralysie de l'Euratom dès lors que tous les États membres, à l'exception de la France, de la Belgique et du Royaume-Uni ralentissaient ou même abandonnaient

(Italie) leurs programmes nucléaires. La catastrophe de Tchernobyl, survenue en 1986, n'a fait qu'accentuer cette tendance tout en révélant au grand jour les divergences d'appréciation entre services nationaux des dangers de la radioactivité.

Le décalage entre un certain suréquipement de la France et un sous-équipement des pays voisins a permis à l'EDF de développer ses ventes d'électricité au-delà des frontières de l'hexagone.

Les efforts qu'Euratom avait déployés avec un succès très limité pour favoriser l'ouverture du marché dans le domaine des équipements électro-nucléaires ont été relayés par l'Acte unique* européen. Ils devraient être facilités par la réalisation récente d'une entreprise franco-britannique à capitaux et direction intégrés (GEC Alsthom).

Par contre le statut d'entreprise commune, prévu par le traité d'Euratom qui aurait pu servir de support à la promotion de structures intégrées, n'a été utilisé que pour la réalisation de centrales électriques notamment de centrales frontalières (Chooz dans les Ardennes), sans que soient toujours évités des conflits de voisinage. Ainsi le Luxembourg n'a-t-il jamais admis la construction par la France d'une centrale à proximité de son territoire (Cattenom).

Enfin l'abondance de l'uranium a rendu purement formelle l'intervention de l'Agence d'approvisionnement qui, dans les premières années, avait conclu des accords avantageux avec la Commission de l'énergie atomique des États-Unis.

Au total, la CEEA, de même que la CECA*, n'est qu'une survivance appelée à se fondre dans l'union européenne dont le traité de Maastricht* a annoncé la réalisation future sans oser l'accomplir immédiatement.

EUROCRATES

On désigne sous le terme d'eurocrates, moins péjoratif et plus objectif que celui de technocrates, les quelque 14000 fonctionnaires de la Commission européenne dont les bureaux sont installés à Bruxelles et à Luxembourg, auxquels il convient d'ajouter environ deux mille agents du Centre commun de Recherches. Ce nombre est étonnamment faible si on le rapporte à l'ampleur des tâches qui leur incombent et aux effectifs des administrations nationales.

L'appréciation des effectifs de l'administration communautaire doit aussi prendre en compte les contraintes linguistiques. Les règlements étant applicables dès publication au *Journal Officiel* des Communautés, ils doivent être rédigés dans les neuf langues officielles. Ainsi, parmi les 14000 fonctionnaires, on compte environ trois mille agents du cadre linguistique.

Les fonctionnaires européens sont répartis en directions générales, elles-mêmes divisées en directions et ces dernières en divisions. Les grades s'étalent pour la catégorie supérieure dite A, de A1 à A7. Les directeurs généraux sont A1, les directeurs A2, les chefs de division A3, les administrateurs principaux A4 et A5 et les administrateurs A6 et A7. Bien qu'il n'existe aucun quota de nationalité, la Commission et plus encore les États veillent à ce qu'un certain équilibre soit maintenu au niveau de la catégorie A.

Le recrutement des fonctionnaires de la Commission a donné lieu dès l'origine à un conflit de doctrine qui n'est pas totalement résolu. Deux thèses s'opposaient : celle de l'indépendance des eurocrates, celle de la circulation des hommes et des femmes entre l'administration européenne et les administrations nationales. La France a longtemps soutenu l'intérêt du va-et-vient alors que les Pays-Bas se faisaient les champions de l'indépendance, allant jusqu'à rompre tout lien avec ceux de leurs fonctionnaires qui entraient au service de la Commission. Cependant ce conflit a perdu de son importance avec le temps. Des concours de recrutement de jeunes fonctionnaires au grade A7 ont été organisés et peu à peu les grades moyens ont été pourvus par la voie normale des promotions. Pour les grades supérieurs cependant, les influences nationales ont continué à se faire sentir et des détachements de hauts fonctionnaires venus des capitales, souvent après passage au cabinet d'un Commissaire, ont été nombreux. Enfin la nécessité d'accueillir des agents venant des nouveaux États membres a tout à la fois conduit à adopter des mesures généreuses de dégagement des cadres et considérablement réduit le recrutement par concours. Les influences nationales au sein de la Commission ont eu aussi pour effet d'imposer aux agents le curieux mode de l'avancement en

« crabe ». Le choix du plus apte à telle fonction est en effet souvent rendu difficile par une considération de nationalité. L'agent ainsi éliminé devra chercher un débouché dans un autre service et dans une autre spécialité que la sienne. S'il a des défauts, celui surtout d'engendrer des frustrations et parfois un sentiment d'injustice, le système a le mérite d'imposer aux agents polyvalence et faculté d'adaptation.

Si l'on s'accorde à reconnaître aux eurocrates compétence et dévouement à la cause européenne, ils n'en font pas moins l'objet de critiques d'autant plus virulentes qu'ils apparaissent de loin comme beaucoup plus puissants qu'ils ne le sont en réalité.

Tout d'abord, ils sont placés sous l'autorité des membres de la Commission nommés par les gouvernements pour un mandat de durée limitée (quatre ans jusqu'aux accords de Maastricht*, cinq ensuite) et responsables devant le Parlement* européen. C'est à tort que l'on qualifie parfois de fonctionnaires les membres de la Commission. Leur mode de désignation, leur statut et leurs responsabilités en font incontestablement des responsables politiques mandatés tout aussi démocratiquement que les membres d'un gouvernement national.

Le rôle des eurocrates se limite, à quelques exceptions près (concurrence), à préparer des projets de règlements ou de directives qui, après avoir été approuvés par la Commission, sont transmis au Conseil à qui appartient désormais, en coopération avec le Parlement, le pouvoir de décision. Dans l'élaboration de ces projets, l'administration communautaire s'entoure systématiquement de l'avis d'experts venant des États membres et appartenant le plus souvent aux administrations nationales. Elle est aussi de plus en plus assaillie de démarches, voire de pressions, venant des innombrables organisations professionnelles disposant d'une antenne à Bruxelles. Outre les grandes confédérations patronales (UNICE, CEEP), agricoles (COPA) et syndicales (CES), il existe des organismes représentatifs agréés (pour les organisations de consommateurs, pour les associations de protection de l'environnement). En outre, plusieurs centaines de lobbies défendant les intérêts les plus divers sont présents à Bruxelles et à Strasbourg. Leur action a été parfois critiquée et a pu revêtir des aspects contestables. Toutefois, l'honnêteté et l'indépendance des fonctionnaires européens à l'égard des lobbies a été rarement mise en cause. Les lobbies ont au moins le mérite de tenir à tout moment l'administration communautaire informée des réalités extérieures.

Enfin, le Comité économique et social constitue une réplique communautaire du Conseil économique et social français. Ses membres représentent les principaux secteurs d'activité économique et syndicale. Ils sont désignés par les gouvernements, le plus souvent sur proposition des organisations professionnelles et syndicales.

Les rémunérations confortables des eurocrates, leur statut fiscal avantageux — un impôt communautaire modérément progressif est prélevé sur leur traitement — sont la condition nécessaire de leur indépendance mais suscitent quelque envie de la part de leurs collègues des administrations nationales. De Gaulle* qualifia un jour d'apatrides les fonctionnaires européens. On pourrait plutôt reprocher à certains d'entre eux de se considérer trop exclusivement comme des représentants de leur pays auprès de l'Europe, ce qui constitue une part mais une part seulement de leur rôle. Quelque peu démoralisés pendant les années de stagnation de la construction européenne, les eurocrates ont repris confiance depuis l'accession de Jacques Delors à la présidence de la Commission et surtout depuis l'approbation du livre blanc de 1985 et la signature de l'Acte unique*. Les accords de Maastricht* devraient consolider le sentiment qu'éprouvent les meilleurs d'entre eux d'être les modestes serviteurs d'une grande cause.

EXÉCUTIF

Depuis Montesquieu, les constitutionnalistes distinguent les trois pouvoirs : législatif, exécutif et judiciaire. La fonction exécutive, conçue à l'origine comme ayant pour mission l'exécution des lois — d'où son nom —, s'est étendue à l'élaboration des lois, si bien que dans les États modernes les gouvernements sont en fait législateurs. Dirigeant des administrations devenues géantes et multiformes, les gouvernements, même démocratiques et parlementaires, n'ont cessé de prendre de l'importance au détriment des Assemblées élues.

Dans le système institutionnel communautaire établi par le traité de Rome, la fonction exécutive est partagée entre la Commission, organe « intégré » nommé par les gouvernements mais indépendant et en charge de l'intérêt commun, et le Conseil, composé de ministres des États membres. Encore convient-il de distinguer dans la fonction exécutive européenne trois sous-fonctions qui correspondent aux trois stades de la proposition, de la décision et de l'application ou exécution. La Commission propose, le Conseil décide en coopération avec le Parlement et la Commission exécute. Le Conseil ne peut délibérer en l'absence d'une proposition de la Commission et ne peut s'écarter de la proposition qu'à l'unanimité. Bien entendu, la Commission peut à tout moment modifier sa proposition en vue de faciliter la décision du Conseil.

Au stade de l'exécution, la Commission agit sur la base d'articles des traités ou des règlements adoptés par le Conseil. Elle dispose de pouvoirs propres de décision dans le domaine de la concurrence (contrôle des aides publiques accordées aux entreprises, contrôle des ententes et des positions dominantes). Pour l'application des politiques communes, la Commission est tenue de recueillir l'avis de comités d'experts désignés par les États. En cas de désaccord, le Conseil peut être appelé à se prononcer.

Il en résulte une surveillance des administrations nationales sur la Commission, désignée sous le terme de comitologie dans le jargon bruxellois. Il serait plus exact de parler de comitocratie, simple variante de la technocratie souvent reprochée aux instances bruxelloises. Le problème de la transparence des modes de décision et du contrôle démocratique se pose en effet de manière de plus en plus aiguë.

Dans les actes du Conseil ou de la Commission, on distingue les règlements, dont la portée est générale et l'application immédiate (dès publication au *Journal Officiel* des Communautés), les directives, sortes de lois-cadres qui laissent aux États un délai d'un ou deux ans pour l'introduction dans le droit interne, et parfois une certaine latitude d'interprétation, enfin les décisions, qui ne s'appliquent qu'à leurs destinataires, particuliers ou plus souvent entreprises.

Les négociateurs de Maastricht ont renoncé à établir une nouvelle distinction entre lois relevant du Conseil et du Parlement et règlements d'application relevant de la Commission.

Tous les Actes du Conseil et de la Commission relevant du domaine communautaire peuvent être déférés devant la Cour de Justice*.

La querelle récurrente qui oppose depuis les débuts de la construction européenne intégrationnistes et tenants de l'Europe des États tourne pour une large part autour de la fonction exécutive.

Pour les intégrationnistes, le seul exécutif légitime est l'institution qui a en charge l'intérêt commun conçu comme supérieur et distinct de celui des États membres. Le passage de la « Haute Autorité supranationale » de la CECA* aux plus modestes « Commissions » de la CEE et de l'Euratom* avait marqué en 1957-1958 un recul de cette conception.

Pour les partisans de l'« Europe des États », les seules réalités politiques sont les États et l'essentiel du pouvoir exécutif et législatif doit demeurer entre leurs mains, donc être exercé par l'instance où les États sont représentés. Telle était la conception du général de Gaulle que ses successeurs devaient également défendre bien qu'avec plus de modération et de souplesse.

Ainsi, lors d'un Sommet tenu à Paris fin 1974, M. Giscard d'Estaing obtint de ses partenaires l'institutionnalisation, sous le nom de Conseil européen, des réunions de chefs d'État ou de gouvernement en contrepartie de l'élection au suffrage universel du Parlement européen, revendication ancienne des intégrationnistes.

Le Conseil européen s'est affirmé peu à peu instance politique suprême d'orientation et d'impulsion. Son existence juridique s'est inscrite dans les traités à l'occasion de l'Acte unique* de 1985. Les accords de Maastricht* lui ont attribué un rôle éminent dans le domaine de la politique extérieure et de sécurité commune dont il lui appartient de fixer les orientations.

La méfiance de certains États membres, principalement les pays du Benelux*, s'expliquait par la crainte de subir au sein de cette institution l'hégémonie des plus grands États. Cette crainte qui, déjà en 1962, avait conduit à l'échec du plan Fouchet d'Europe politique, s'est peu à peu atténuée mais n'a pas complètement disparu. On a pu aussi reprocher au Conseil européen d'apparaître comme une instance d'appel conduisant le Conseil des ministres à lui renvoyer les questions les plus épineuses et par conséquent à retarder les décisions.

Le Conseil européen se réunit au moins deux fois par an dans le pays qui exerce la présidence. Il prend ses décisions par consensus, mais il lui est arrivé de forcer la main à la Grande-Bretagne lorsqu'il décida en dépit de l'opposition de Mme Thatcher d'ouvrir les négociations qui devaient conduire à l'Acte unique*.

Cette décision, de même que le déroulement du sommet de Maastricht*, au cours duquel M. John Major ne put faire obstacle à un engagement de réaliser une union monétaire complète au plus tard le 1er janvier 1999 et à un accord à onze sur l'Europe sociale, a établi une sorte de coutume constitutionnelle d'un grand intérêt pour l'avenir de la construction européenne. Il est désormais admis qu'aucune décision portant atteinte à ce qu'un État considère comme un intérêt essentiel ne peut lui être imposée, mais également, et ceci est nouveau, qu'un État ne peut faire durablement obstacle à un progrès d'intégration ou à une action commune considérée comme essentielle par une large majorité des autres États. Ainsi se trouve surmontée de manière élégante et raisonnable la vieille querelle du veto qui avait longtemps alimenté les controverses et parfois aigri les relations entre la France et ses partenaires. Désormais le rôle de défenseur intransigeant de la souveraineté n'est plus celui de la France mais du Royaume-Uni. Mais celui-ci n'a plus la faculté de bloquer mais seulement de s'isoler.

L'avenir de la fonction exécutive dans l'Union européenne n'est pas réglé pour autant. Entre les fédéralistes, qui considèrent la Commission comme le seul Exécutif légitime, et les tenants de l'Europe des États, qui attribuent aux instances interétatiques (Conseil européen, Conseil de ministres) l'essentiel de cette fonction, un compromis s'impose.

Les fédéralistes devront admettre, au moins pour une période transitoire, le partage du pouvoir exécutif entre la Commission et les Conseils. Les autres devront accepter la transformation de la Commission en Collège exécutif démocratiquement mandaté par le Parlement. Le rôle des représentants des États demeurera longtemps prédominant dans les nouveaux domaines de coopération où le Collège exécutif n'aura pas le monopole de la proposition. Il devrait en revanche se limiter à l'élaboration des lois et à l'approbation des traités dans les domaines relevant depuis longtemps de la Communauté. Ainsi l'actuel Conseil pourrait donner naissance à deux institutions distinctes : un Conseil des États à fonction législative, un Comité des ministres à fonction exécutive et diplomatique.

A plus long terme, l'Europe — Communauté ou Union — ne pourra construire une politique efficace dans le domaine des affaires étrangères, de la défense ou de l'économie tant qu'elle ne sera pas dotée d'un gouvernement distinct des gouvernements nationaux et reconnu comme légitime par les peuples. Il n'est pas sûr qu'une Commission, même investie par le Parlement après avoir été désignée en deux stades par les gouvernements, dispose d'une légitimité suffisante pour constituer ce gouvernement.

Dès lors se posera dans l'avenir, notamment à l'occasion des futurs élargissements*, le problème de la désignation d'un Exécutif commun dont la légitimité ne puisse être contestée. Bien entendu, cette réforme supposerait que la Communauté et l'Union évoluent vers un système fédératif, perspective dont le Premier ministre britannique a refusé l'inscription dans les accords de Maastricht mais qui n'en reste pas moins l'évolution la plus vraisemblable et la plus souhaitable.

Contrairement à beaucoup de commentaires hâtifs ou superficiels, il semble bien que les élargissements* futurs exigeront un renforcement considérable des mécanismes institutionnels dans le sens du fédéralisme*, sans lequel la Communauté en s'élargissant perdrait les traits originaux qui sont à l'origine de son succès et de sa force d'attraction.

FÉDÉRALISME

Le fédéralisme est un mode d'organisation par lequel des États ou des collectivités politiques se groupent en une entité supérieure pour la défense d'intérêts communs tout en conservant la gestion autonome de leurs propres affaires. Les États-Unis d'Amérique, la Suisse, l'Allemagne, l'Inde sont des fédérations.

Dans l'histoire, les fédérations ont été souvent des alliances destinées à faire face à un ennemi commun (les cités grecques fédérées contre les Perses, contre Philippe de Macédoine ou contre la conquête romaine, les cantons suisses contre le Saint-Empire, les provinces unies des Pays-Bas contre l'Espagne). En France, le fédéralisme s'est longtemps identifié avec le refus opposé par les Girondins à la dictature jacobine et leur aspiration à une organisation décentralisée.

Les juristes distinguent la fédération et la confédération*. Dans la fédération, des institutions communes disposent de pouvoirs propres fondés sur la primauté de l'ordre juridique fédéral. Les confédérations ne sont guère plus que des alliances permanentes.

A l'époque moderne, le fédéralisme revêt une signification nouvelle. Il se fonde sur le principe de subsidiarité suivant lequel les affaires doivent être traitées au plus petit échelon possible (doctrine affirmée notamment dans les encycliques pontificales). Il apparaît comme une forme d'organisation propre à concilier des exigences apparemment contradictoires des sociétés contemporaines : l'aspiration à la participation et l'impératif de la dimension. Les expériences fédérales ou confédérales du passé se sont le plus souvent soldées par un échec dû à la mésentente des confédérés ou à leur refus d'accepter l'hégémonie de l'un d'entre eux. En revanche, le mariage heureux du fédéralisme et de la démocratie s'est réalisé en Suisse et aux États-Unis au XIXe siècle, en Allemagne au XXe siècle. En Suisse, la Confédération s'est muée en fédération en 1848 sans pour autant abandonner un système original de démocratie directe. Aux États-Unis le succès du fédéralisme n'a été assuré qu'au prix d'une victoire sanglante sur les confédérés du Sud lors de la guerre de Sécession. En Allemagne le fédéralisme a servi de support à l'édification d'une démocratie modèle et de cadre à la réunification. Le fédéralisme est aussi pratiqué en Australie et, avec des difficultés croissantes, au Canada, par suite des tendances indépendantistes du Québec francophone. Enfin quelques grands pays du tiers monde, tels l'Inde et le Brésil, pratiquent une forme de fédéralisme rendu chaotique par les problèmes du sous-développement et, en Inde, par les antagonismes religieux et ethniques.

On peut distinguer deux tendances doctrinales dans le fédéralisme moderne. L'une, née dans les années trente sous l'influence de la crise du capitalisme, conçoit la société comme une hiérarchie de délégations propre à limiter les pouvoirs des échelons supérieurs tout en assurant la satisfaction des aspirations et des besoins de chacun. Ce type de fédéralisme, indissolublement lié au personnalisme, a été promu par un groupe de personnalités remarquables un moment réunies autour de la revue l'*Ordre nouveau* : Arnaud Dandieu, Robert Aron, Emmanuel Mounier et le philosophe proudhonien toujours vivant Alexandre Marc. On peut également rattacher à cette tendance le Suisse Denis de Rougemont, théoricien des autonomies culturelles locales et régionales toujours menacées par les grands États.

L'autre tendance, plus exclusivement politique, est née dans la résistance au nazisme et au fascisme. Elle vise à fédérer les peuples d'Europe en vue tout à la fois de leur réconciliation et de leur renaissance après les désastres auxquels le nationalisme les a conduits. L'ancien Commissaire et député européen Altiero Spinelli était représentatif de cette tendance très influente en Italie*.

Bien que Jean Monnet ait inscrit la perspective d'une fédération européenne comme le but lointain de la CECA, sa méthode, consistant à se fixer des objectifs limités et sectoriels, était assez éloignée de la vision plus théorique et plus ambitieuse des fédéralistes.

Le développement des Communautés européennes, l'effacement des communautés sectorielles au profit d'un Marché commun général, l'aspiration à une union politique concrétisée par les accords de Maastricht, devaient conduire à un rapprochement entre les conceptions dites pragmatiques des fonctionnalistes et l'ambition doctrinale des fédéralistes. Seule en définitive l'opposition britannique a fait obstacle à la reconnaissance de la vocation fédérale de l'Union européenne. On s'est aperçu à cette occasion que le terme fédéralisme avait des connotations très différentes d'un pays à l'autre. Alors que les Anglais le comprennent comme un centralisme bureaucratique qui leur fait horreur, les Allemands, se fondant sur leur expérience, y voient au contraire la garantie des autonomies régionales et nationales. En dépit de ces interprétations divergentes, le terme fédéralisme doit être préféré à celui de supranationalité, car contrairement à celui-ci, il évoque à la fois l'existence d'un ordre juridique et politique supérieur et la garantie des droits des entités fédérées.

On ne prend pas grand risque en prophétisant que la construction européenne n'échappera pas au dilemme de s'élargir en se renforçant dans un cadre fédéral ou de s'élargir en se diluant dans un cadre confédéral.

Les communautés européennes, par leurs institutions intégrées (Parlement élu, Commission indépendante, Cour de Justice), par la possibilité de prendre des décisions à la majorité et par la primauté du droit communautaire, ont des traits fédéraux indiscutables. Mais on a pu dire qu'il s'agissait d'un « fédéralisme à l'envers » par lequel les États ont mis en commun des attributions qu'ils auraient pu continuer à exercer eux-mêmes, et ont conservé jusqu'à présent des compétences (défense, relations extérieures, monnaie) qui sont généralement celles des fédérations.

Les Communautés n'ont pas échappé au problème que pose tout système fédéral : celui de la distinction des compétences. Elles y ont d'autant moins échappé que le domaine économique et social se prête mal à un partage tranché entre niveaux, si bien que le domaine des compétences conjointes entre Communauté et États membres, déjà très vaste, est sans doute appelé à s'élargir (éducation, santé, culture) en dépit de la proclamation du principe de subsidiarité. Inscrit dans le traité de Maastricht, ce principe a pour objet de limiter les interventions de la Communauté aux domaines où son action est plus efficace que celle des États agissant isolément. Plutôt que d'un principe juridique, il s'agit d'une règle de bon sens proposée par J. Delors pour rassurer ceux qui redoutent une prolifération de la réglementation communautaire en tous domaines. L'élaboration d'une Union européenne ayant des compétences en matière de relations extérieures et de sécurité, en parallèle avec celle d'une union économique et monétaire dans le cadre de la Communauté* représente un pas dans la direction d'un fédéralisme remis à l'endroit.

FISCALITÉ

Le traité de Rome, dans un chapitre intitulé « dispositions fiscales », se bornait à prohiber l'usage de la fiscalité indirecte en vue de favoriser les exportations ou de pénaliser les importations. La généralisation de la taxe à la valeur ajoutée à partir de 1967 a éliminé le problème des remboursements aux exportateurs des anciennes taxes dites en cascade car elles frappaient les transactions à tous les stades de la production et du commerce.

Plus tard, la TVA étant devenue pour partie recette du budget* communautaire, son assiette dut être harmonisée. L'aménagement des monopoles fiscaux (tabacs, alcool) permit d'en éliminer les éléments discriminatoires à l'égard des importations. L'élimination des discriminations fiscales qui pénalisent les fusions d'entreprises relevant d'États membres différents ou celles qui ont des filiales dans un autre État membre a été plus laborieuse et n'est pas encore achevée. Il fallut attendre le livre blanc de 1985 et l'Acte unique* pour que le problème de l'élimination des frontières fiscales soit posé. Même généralisée, la TVA demeure perçue dans le pays de consommation. Ainsi les produits exportés sont-ils détaxés à la frontière et les produits importés taxés au taux du pays de destination. Pour permettre l'élimination des contrôles aux frontières, la Commission avait proposé de traiter les produits de la même manière, qu'ils franchissent ou non les frontières, et d'établir un mécanisme de compensation pour que chaque pays reçoive son dû, la TVA devant revenir au pays du consommateur final. Ce projet, jugé trop complexe, a été remplacé à titre provisoire (jusqu'au 1er janvier 1997) par le maintien du paiement dans le pays de destination et l'obligation faite aux importateurs de payer la TVA au lieu d'arrivée des produits. Ainsi l'objectif, essentiel du point de vue psychologique, de suppression du contrôle aux frontières internes de la Communauté sera-t-il atteint dès le 1er janvier 1993. A cette date les particuliers pourront librement importer pour leur usage personnel des produits achetés dans un autre État membre sans contrôle et sans limitation. Ainsi les États sont-ils fortement incités à rapprocher leurs taux de TVA. Aux multiples taux nationaux seront substitués un taux normal et un taux réduit applicable aux produits alimentaires et de première nécessité. Le taux normal ne pourra être inférieur à 15 % et le taux minoré à 5 %. Le Royaume-Uni a cependant obtenu le droit de maintenir certains produits au taux zéro (aliments de base et vêtements pour enfants).

L'harmonisation totale des accises ou taxes spéciales s'ajoutant à la TVA et frappant certains produits dont les pouvoirs publics souhaitent limiter la consommation pour des motifs de santé ou d'environnement (tabacs, boissons alcoolisées, carburants), d'abord envisagée par la Commission, a été remplacée par le maintien d'un contrôle du commerce professionnel entre États (entrepôts agréés). Cependant, les particuliers, toujours pour leur usage personnel, pourront s'approvisionner librement dans les pays pratiquant les taux les moins élevés. Il était en effet difficile pour les pays du Nord de taxer fortement la bière et pour les pays du Sud, de taxer fortement le vin. L'alignement vers le bas n'était pas non plus envisageable pour des raisons budgétaires et de santé publique.

Les impôts frappant les revenus et le patrimoine peuvent être assez différents d'un État à l'autre sans que le Marché commun en soit perturbé. La seule mesure envisagée par la Commission comme corollaire à la libre circulation des capitaux consistait en l'établissement d'un prélèvement à la source relativement modéré (15 %) sur les revenus de l'épargne. L'objectif était de lutter contre l'évasion fiscale. L'Allemagne* avait adopté une mesure analogue mais avait dû y renoncer après avoir constaté qu'elle provoquait une évasion massive de ses capitaux. Son opposition au prélèvement à la source est ainsi venue conforter celle du Royaume-Uni* et du Luxembourg soucieux de préserver sa vocation discutable de paradis fiscal. Les adversaires du prélèvement à la source l'ont finalement emporté en invoquant le risque d'une évasion des capitaux vers les pays tiers.

La combinaison de la libération des mouvements de capitaux, de la suppression des contrôles aux frontières et de l'absence de prélèvement à la source crée des conditions très favorables à l'évasion fiscale. Cette affaire donne lieu à un intéressant débat de doctrine. Pour les uns, la non-taxation des revenus de capitaux est justifiée par la nécessité d'encourager l'épargne dans un monde économique rongé par l'endettement. Les Britanniques invoquent aussi l'argument de la double imposition : le capital ne serait que l'accumulation de profits ou de revenus anciens déjà taxés. Pour les autres, la disparité de taxation entre revenus du travail et revenus du capital est indéfendable au regard de la justice fiscale.

La solution est sans doute un taux modéré de taxation des revenus de l'épargne, mais certainement pas l'évasion qui entraîne non seulement l'exonération totale, mais aussi la transmission clandestine des patrimoines sans paiement de droits de succession.

Il s'agit en réalité d'un problème à dimension

mondiale. En effet, la liberté des mouvements de capitaux n'est pas limitée au Marché commun*. Elle est générale même si elle s'assortit d'une obligation de déclaration à la sortie pour les montants élevés.

Sans doute devra-t-on envisager la négociation d'accords mondiaux analogues à ceux qui ont été récemment conclus pour lutter contre les trafiquants de drogue, ne serait-ce que pour éviter le reflux des capitaux privés des pays du Sud vers le Nord. Ce serait un élément important du nouvel ordre mondial que laisse espérer la fin de la guerre froide et l'autorité nouvelle des Nations unies. En attendant, la seule solution à ce problème est celle que pratique le fisc américain : un strict suivi des patrimoines et des sanctions très sévères à l'égard des sorties de capitaux non déclarées.

FRANCE

La question européenne domine la politique française depuis la fin du deuxième conflit mondial. C'est la France qui a pris les premières initiatives à l'époque du Conseil de l'Europe* et surtout en 1950 avec Monnet et Schuman. C'est la France qui a donné le premier coup d'arrêt en 1954 en refusant le projet de Communauté de Défense. Ensuite, la France a participé activement à l'élaboration des traités de Rome et à leur mise en œuvre.

L'engagement de la France dans la construction européenne répond à trois objectifs :

— la réconciliation avec l'Allemagne*, mais aussi l'insertion de son grand voisin dans des structures européennes fortes ;

— la récupération à travers et par l'Europe d'une influence mondiale que la France réduite à ses propres forces ne peut plus exercer ;

— enfin et surtout, l'ouverture de son économie trop longtemps protégée mais d'une manière qui ménage des transitions pour son industrie et des débouchés pour son agriculture.

L'ampleur de ces objectifs aurait pu faire de la construction européenne le grand dessein auquel toute autre considération aurait été subordonnée. Il n'en fut rien dans la réalité. Déjà dans les années cinquante, le maintien des positions coloniales de la

France en Asie et en Afrique représente un objectif concurrent qui vient contrarier le projet de Communauté de Défense.

Un peu plus tard, le général de Gaulle* poursuit avec Adenauer la politique de réconciliation avec l'Allemagne mais n'envisage à aucun moment la fusion des souverainetés sans laquelle l'encadrement de l'Allemagne ne pourra se prolonger indéfiniment.

Georges Pompidou recherche un élément d'équilibre du côté de l'Angleterre qu'il fait entrer dans la Communauté en se gardant bien d'en consolider les institutions*.

Valéry Giscard d'Estaing renoue des relations confiantes avec le chancelier Schmidt mais, en partie à cause de la présence des néo-gaullistes dans sa majorité, en partie par inclination personnelle, il envisage le progrès de la construction plutôt sous la forme d'une coopération orientée par des rencontres de chefs de gouvernement et de ministres qu'à travers les institutions intégrées que sont la Commission et le Parlement*.

François Mitterrand lui-même, après avoir pris l'option décisive de 1983 qui permet à la France de sauver sa monnaie et de rétablir son économie, apporte une contribution aux négociations qui conduiront à l'Acte unique* de 1986 et aux accords de Maastricht* de 1992, mais en limitant autant que faire se peut les transferts de souveraineté.

Il donne, en outre, le sentiment, face à une réunification allemande conduite à marches forcées par le chancelier Kohl, de céder à la tentation de l'alliance de revers ou de se refuser à envisager sinon à très long terme l'intégration de la « Mittel Europa » à l'ensemble communautaire. Ces hésitations répétées trouvent leur explication sinon leur justification dans plusieurs éléments.

En premier lieu, la France est miraculeusement sortie de la guerre dans le camp des vainqueurs, ce qui lui a valu d'abord un siège permanent au Conseil de sécurité et la possibilité de se doter, à l'égal des autres « Grands », d'une force de dissuasion nucléaire. On comprend que les présidents successifs aient hésité à s'engager à fond dans un processus qui pouvait conduire à la mise en cause de cette position privilégiée.

En second lieu, la France, tout en dépendant autant que les autres Européens de la protection américaine, se refuse, depuis de Gaulle à une situation subordonnée à l'égard des États-Unis. Le retrait de l'OTAN décidé en 1965 par le général de Gaulle avait pour objet de marquer cette volonté d'indépendance, d'éviter à la France d'être entraînée dans un conflit qu'elle n'aurait pas voulu et de favoriser des gestes analogues d'indépendance de la part des satellites de l'URSS.

Enfin, les gouvernements français successifs ont dû s'appuyer sur des majorités politiques qui comprenaient des éléments particulièrement réservés à l'égard d'une politique européenne conduisant à des limitations ou à des partages de souveraineté.

Ce fut le cas dès la fin de la IVe République avec les gouvernements Mendès France et Edgar Faure qui comprenaient des gaullistes. Avec de Gaulle les réticences étaient à la tête de l'État, atténuées il est vrai par un grand réalisme et la poursuite de la politique de réconciliation avec l'Allemagne. Pompidou partageait les réticences du général. Valéry Giscard d'Estaing devait, lui aussi, compter avec les gaullistes, et François Mitterrand avec les communistes et avec les tendances nationalistes d'une fraction de son propre parti, animée par Jean-Pierre Chevènement.

Après la réunification de l'Allemagne*, et face à la perspective d'une union politique, la France va devoir enfin faire un choix clair. Il ne lui sera plus possible très longtemps de prétendre que l'objectif fondamental de sa politique est l'union européenne* et continuer à refuser à l'Allemagne le partage de sa souveraineté en tous domaines. L'évolution accélérée de la situation mondiale permet de penser que ce choix devrait être relativement facile. En effet l'autre branche de l'alternative n'est qu'un long combat d'arrière-garde perdu d'avance, au terme duquel la France finirait par ne plus peser que d'un poids négligeable sur l'échiquier mondial.

La chance encore offerte à la France de contribuer à fonder une grande puissance européenne, dotée d'un gouvernement fédéral mais préservant la personnalité et la culture propres de ses États membres et capable de contribuer au nouvel ordre du monde, est autrement exaltante et plus conforme au génie de la « grande Nation ».

GATT

Sigle anglais pour « General Agreement on Tariffs and Trade », accord général sur les tarifs douaniers et le commerce (sigle français AGETAC), le GATT est un accord provisoire conclu le 30 octobre 1947 à Genève parallèlement à la négociation de la Charte de La Havane. Cette Charte, destinée à créer une organisation internationale du commerce dans le cadre des Nations unies, ne fut jamais ratifiée, par suite de l'opposition des milieux économiques américains. Ainsi fut assurée la pérennité de l'accord provisoire.

Largement fondé sur le principe du libre-échange, le GATT a pour principal objet de proscrire les mesures douanières discriminatoires. La clause dite de la nation la plus favorisée généralise à tous les signataires de l'accord les concessions tarifaires consenties par l'un d'entre eux. Ce principe souffre cependant quelques exceptions. La première permet sous certaines conditions la constitution d'unions douanières ou de zones de libre-échange. Ces deux types d'organisation ont pour objet d'éliminer les droits de douane entre leurs membres mais, contrairement à la zone de libre-échange, l'union douanière comporte l'application par ses membres d'un tarif extérieur commun à l'égard des pays qui n'en font pas partie, ce qui évite d'avoir à contrôler l'origine des produits importés depuis un autre État membre. Cependant la protection assurée par le tarif commun ne doit pas excéder le niveau assuré antérieurement par les tarifs nationaux préexistants.

Le Marché commun* constitue la principale union douanière membre du GATT. Avant l'adhésion à la Communauté* du Royaume-Uni*, du Danemark et de l'Irlande, ces pays avaient constitué entre eux ainsi qu'avec la Norvège, la Suisse, l'Autriche et le Portugal, une zone de libre-échange qui subsiste aujourd'hui entre les pays qui n'ont pas adhéré, auxquels se sont joints ultérieurement la Finlande et l'Islande. Les pays membres de l'Association européenne de libre-échange (AELE, sigle anglais EFTA) avaient eux-mêmes conclu des accords séparés de libre-échange avec la Communauté avant de négocier en 1991 un accord de libre-échange global comportant des éléments de marché unique et visant à établir un espace économique européen.

L'entrée en vigueur de cet accord a été retardée par le rejet par la Cour de Justice* des Communautés qui n'a pas accepté les dispositions relatives à la création d'une instance d'arbitrage propre à l'espace économique européen dont la jurisprudence aurait pu contredire celle de la Cour communautaire.

L'autre exception au principe de non-discrimination a été confirmée à l'issue du Tokyo round (1979) aux pays se déclarant eux-mêmes « en voie de développement ». Ces pays bénéficient de la part de la Communauté de « préférences généralisées », c'est-à-dire de droits de douane réduits ou nuls sur leurs produits industriels ou artisanaux ainsi que sur les produits agricoles non concurrents des produits européens (produits tropicaux).

Le GATT a été le cadre d'une série de négociations multilatérales ayant pour objet la réduction générale des droits de douane et, dans la période récente, la libéralisation des échanges de services. La dernière en date, l'Uruguay round, n'a pu être conclue à la date prévue par suite d'un différend euro-américain sur l'agriculture (voir Politique commerciale*).

Longtemps indifférent aux restrictions quantitatives aux échanges (contingents ou globaux) qui étaient négociés ailleurs (OECE), le GATT a servi de cadre aux accords dits multifibres. Ceux-ci avaient pour objet la protection de l'industrie textile européenne contre les importations des pays à bas salaires, importations dont la progression a été « encadrée ».

Enfin le GATT comporte des procédures d'arbitrage ayant pour objet le règlement des litiges commerciaux et l'octroi de compensations aux parties lésées. Ne réunissant à l'origine que les pays industriels développés, le GATT s'est peu à peu étendu à la quasi-totalité des pays du monde.

GÉNÉRAL DE GAULLE

S'il ne peut être rangé parmi les Pères de l'Europe*, le général de Gaulle mérite une place à part dans cet ouvrage, ne serait-ce qu'à cause de l'immense influence qu'a exercée sa politique sur l'évolution de la construction européenne. On peut distinguer trois périodes dans l'attitude du Général à l'égard de l'Europe : une phase proclamatoire dans les années d'après-guerre, une phase constructive de 1958 à 1962, une phase plus négative de 1963 à 1969. La phase proclamatoire est celle d'un de Gaulle retiré des affaires en 1946, fondant le RPF (Rassemblement du Peuple Français) en 1947, et appelant à une fédération européenne qui, dans son esprit, serait organisée autour de la France dès lors que celle-ci serait dotée d'un État fort. Le conseil national du RPF déclare en juillet 1948 : « Il importe de constituer au plus tôt un groupement occidental de la Fédération européenne » (motion citée par Édouard Jouve dans son ouvrage *Le général de Gaulle et la construction de l'Europe*, Librairie générale de droit et de jurisprudence, 1967).

C'est l'époque où Michel Debré, fervent gaulliste, publie un *Projet de pacte pour une Union d'États européens* (Nagel, juillet 1950) dans lequel il propose de donner compétence à l'Union pour la défense de ses membres ainsi que pour le logement, la santé, la production industrielle et agricole et l'unification des règles administratives et des institutions juridiques. Selon l'article 3 du Pacte « la responsabilité de l'Union sera confiée à un arbitre élu pour cinq ans au suffrage universel, assisté de deux vice-arbitres, d'un Sénat, d'une Assemblée élue par les peuples à raison d'un député par million d'habitants et de commissaires chargés d'assurer le fonctionnement des services de l'Union... ».

Edmond Jouve estime, dans l'ouvrage précédemment cité, que le fédéralisme gaulliste n'était qu'un pseudo-fédéralisme. Influencé par Charles Maurras, le Général n'envisageait une fédération qu'hégémonique. Tant qu'il pouvait espérer une fédération européenne sous hégémonie française, il était fédéraliste. Il cessa de l'être en même temps que Michel Debré et la plupart des gaullistes quand il devint clair que la fédération devait être égalitaire, et surtout quand l'union de l'Europe leur apparut l'instrument d'une hégémonie extérieure, celle des États-Unis d'Amérique. De Gaulle devait un jour se laisser aller à qualifier Jean Monnet de grand patriote mais patriote américain !

Aussi bien de Gaulle et le RPF n'eurent pas de mots assez durs pour tourner en dérision la première Communauté européenne qualifiée de « méli-mélo de charbon et d'acier ». De même, ils combattirent violemment le projet de la CED, Communauté européenne de Défense, et contribuèrent à son échec en 1954.

En revanche, le général de Gaulle, sans les approuver, se garda de faire campagne contre les projets de Marché commun* et d'Euratom*. Lorsqu'il accéda au pouvoir en mai 1958, les deux traités étaient ratifiés, les nouvelles institutions en place à Bruxelles et les premières réductions de droits de douane programmées pour la fin de l'année.

On s'attendait à un rejet par le général de cet héritage de la IVᵉ République. Il n'en fut rien, du moins au début. Après avoir pris l'avis des meilleurs experts, en particulier de Jacques Rueff, de Gaulle se convainquit que le Marché commun pouvait contribuer à la modernisation et au progrès d'une économie française anémiée par un long abus de protectionnisme et d'inflation. Ces drogues des régimes faibles vont être rejetées et la France mise en mesure par le vigoureux plan d'assainissement Pinay-Rueff de faire face aux premières échéances du Marché commun. Le commerce extérieur de la France était lourdement déficitaire lors de la négociation du Traité. Aussi la délégation française avait-elle obtenu, non sans peine, l'insertion de clauses de sauvegarde permettant de différer le démantèlement des protections. Grâce à l'action du général de Gaulle la France n'eut pas à y recourir. Ainsi le Général appliquait un traité qu'il n'aurait pas signé, s'il fût parvenu plus tôt au pouvoir, et que les faibles gouvernements de la IVe République, qui l'avaient négocié, auraient eu le plus grand mal à appliquer.

La décision prise par de Gaulle de jouer la carte du Marché commun avait aussi des motifs d'ordre diplomatique. Bien que soutenue par les États-Unis, la Communauté des Six, dont le Royaume-Uni* s'était exclu, lui apparaissait offrir à la France* la possibilité d'asseoir son influence en Europe en poursuivant la politique de réconciliation avec l'Allemagne*. Séduit par la personnalité d'Adenauer et raisonnant en termes de rapports de force, de Gaulle trouvait dans la République fédérale, demeurée alors un nain politique, un partenaire infiniment plus accommodant que l'arrogante Angleterre.

Toutefois la philosophie politique du général de Gaulle devait lui interdire, malgré cette phase constructive de son action, d'entrer dans l'histoire comme l'un des Pères de l'Europe. Pour de Gaulle les États sont des monstres froids qui agissent en fonction de leurs intérêts conditionnés par l'histoire et la géographie ; les vertus privées de bienveillance, de générosité, de loyauté sont interdites aux États dont l'action ne peut être dictée que par un égoïsme absolu. Une vision du monde aussi pessimiste est aux antipodes de celle des Pères de l'Europe. Ceux-ci, chrétiens ou athées, libéraux ou socialistes, ont fait le pari que, au moins sur notre continent ravagé par tant de guerres fratricides, il était possible de substituer aux traditionnels rapports de force l'intégration au sein d'institutions chargées de faire prévaloir l'intérêt commun.

Il était inévitable qu'une telle divergence de philosophie conduise à l'affrontement entre de Gaulle et les Européens. La première grande crise fut celle du plan d'union politique des États européens, appelé plan Fouchet, du nom du négociateur français, l'ambassadeur Christian Fouchet. Alors que ce projet, qui aurait pu faire gagner trente ans à l'Europe politique, était près d'aboutir, en dépit des réserves des pays du Benelux, le général y apporta in extremis trois modifications qui firent l'effet d'une provocation : suppression de toute référence à l'Alliance atlantique, subordination des institutions communautaires aux gouvernements nationaux, suppression de la clause de révision. Le ministre néerlandais Joseph Luns saisit l'occasion de rejeter un plan qu'il n'aimait guère même dans sa version initiale.

Le ressentiment qu'éprouva de Gaulle après cet échec d'avril 1962 se traduisit un mois plus tard dans une conférence de presse à l'Élysée.

Le Général, depuis longtemps irrité par les prétentions de Walter Hallstein, ancien secrétaire d'État d'Adenauer devenu président de la Commission de la CEE, à se comporter en chef d'État, avait aimablement qualifié les membres de la Commission et leurs collaborateurs de « technocrates apatrides » s'exprimant en « volapuk intégré ». Cette agression verbale, confinant à l'injure, provoqua la démission immédiate de six ministres appartenant au MRP (Mouvement républicain populaire), dont celle de l'Alsacien Pierre Pflimlin, dernier président du Conseil de la IVe République. Elle devait aussi éveiller dans de nombreux milieux européens une méfiance et une animosité qui seront pour beaucoup dans l'enlisement de la politique européenne du Général.

L'une des raisons de l'échec du plan Fouchet était la volonté des pays du Benelux* d'y associer le Royaume-Uni*. En effet les Britanniques rassurés par le coup de frein imposé par de Gaulle aux institutions européennes s'étaient décidés à adhérer à la Communauté.

Une deuxième crise fut provoquée par la manière abrupte avec laquelle le Général décida le 14 janvier 1963 de mettre un terme aux laborieuses négociations en vue de l'adhésion du Royaume-Uni. Alors que les ministres étaient en réunion à Bruxelles, ils apprirent qu'au cours d'une conférence de presse à l'Élysée le général avait annoncé qu'il convenait de mettre fin aux négociations.

Cependant la crise la plus grave éclata en 1965 lorsque le Général fut placé par Hallstein devant un marché inacceptable pour lui : accepter un renforcement des pouvoirs du Parlement européen et de la Commission, en contrepartie d'un règlement financier avantageux pour la France. Le 30 juin M. Couve de Murville abandonna le siège de la France. Ce fut la crise de la chaise vide. En septembre le Général annonça qu'il refusait l'application de la règle de la majorité qualifiée qui, d'après le traité, devait s'appliquer à partir du 1er janvier 1966.

Si les partenaires de la France n'avaient fait preuve de modération, en s'abstenant de prendre des décisions en son absence, un scénario catastrophe aurait pu s'enclencher, le Royaume-Uni étant invité à prendre la place de la France dans la Communauté.

Le pire fut évité et un compromis boiteux trouvé à Luxembourg le 30 janvier 1966. La France annonçait qu'elle n'acceptait pas que des décisions contraires à ce qu'un État considère comme ses intérêts essentiels puissent être prises à la majorité. Les cinq autres États déclaraient que cette hypothèse leur paraissait exclue. Tous s'accordaient à reprendre normalement la vie communautaire.

En fait l'élan était pour longtemps brisé. Les administrations nationales prirent prétexte du compromis de Luxembourg pour éviter de passer au vote au sein du Conseil, même pour des affaires mineures. La crise de mai 1968 et l'inflation qui en fut la conséquence en France brisa la stabilité monétaire à peu près maintenue depuis 1958, tandis que l'invasion de la Tchécoslovaquie en août 1968 ruinait les espoirs que de Gaulle avait fondés sur sa politique de soutien aux nationalismes de l'Est.

Ayant quitté le pouvoir en mars 1969 après le référendum perdu sur la décentralisation et la réforme du Sénat, le Général assista pendant la dernière année de sa vie, telle la statue du commandeur, aux efforts de son successeur Georges Pompidou, qu'il n'aimait pas, pour se rapprocher à la fois d'une partie des centristes pro-européens au plan intérieur et du Royaume-Uni au plan externe.

Tel fut le destin du général de Gaulle dont la mémoire est aujourd'hui entourée d'une révérence sans doute excessive. Ayant été Jeanne d'Arc en 1940, Bonaparte en 1958, il eût pu s'assurer dans l'histoire la stature d'un Charlemagne du XXe siècle. On prétend qu'après un voyage triomphal en Allemagne, à un interlocuteur qui lui suggérait de devenir le premier président des États-Unis d'Europe, il aurait répondu « oui, mais mon successeur serait Allemand ! ». On ne peut qu'éprouver un immense regret devant ce destin inachevé et cette occasion perdue.

Cependant après le geste fou de 1940, le choix fait en 1958 de moderniser la France et de sceller la réconciliation avec l'Allemagne ne peut être oublié.

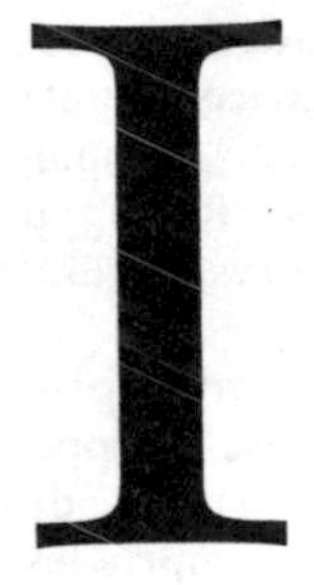

INDUSTRIE

Le terme d'industrie et plus encore celui de politique industrielle ont des acceptions différentes dans les divers pays de la Communauté. En anglais « industrie » désigne toutes les activités productives, y compris l'agriculture et les services qui sont représentés dans le « Conseil des industries britanniques », homologue de notre CNPF. Deux organisations représentent l'industrie auprès des institutions communautaires : le Centre européen des entreprises publiques (CEEP) et l'Union des industries de la Communauté européenne (UNICE).

Il a fallu attendre le Conseil européen de Maastricht* pour que l'industrie fasse son entrée dans le vocabulaire européen à la demande de la France et de l'Italie et en dépit des réticences du Royaume-Uni et de l'Allemagne qui ont imposé dans ce domaine le principe d'unanimité.

Ces pays et avec eux tous les adversaires de l'interventionnisme économique redoutent que ne soit transposée à l'échelle de la Communauté une politique industrielle qui consisterait à prolonger l'agonie d'entreprises mal gérées, de secteurs condamnés, ou encore à élaborer des projets de regroupements d'entreprises non désirés par celles-ci. Ce sont en effet des politiques de ce type qui ont été pratiquées en France pendant bien des années avec quelques succès mais aussi d'assez nombreux échecs et un coût budgétaire élevé (sidérurgie, machine-outil, plan calcul...).

L'absence de toute mention de l'industrie ou de la politique industrielle dans les traités européens (mises à part les dispositions propres aux traités CECA et Euratom) ne signifie évidemment pas que les Communautés n'aient pas exercé une influence décisive sur le développement industriel. Celui-ci a reçu une impulsion considérable du seul fait de la suppression des barrières douanières et autres obstacles aux échanges. La politique de concurrence a permis d'éviter que des ententes ne fassent obstacle à l'interpénétration des marchés. En même temps les aides des États aux entreprises étaient soumises au contrôle de la Commission.

Par la suite, la volonté d'encourager les coopérations européennes transnationales dans des secteurs de technologie avancée s'est traduite par la mise en œuvre de programmes extra-communautaires (Airbus, Agence spatiale européenne et Ariane), communautaires (Esprit, Race) ou para-communautaires (Eureka) (voir Recherche*).

Si ces différents programmes ont favorisé la coopération entre firmes de différents pays, y compris les petites et moyennes entreprises qui ont fait l'objet de mesures particulières (bureau des mariages à Bruxelles), ils n'ont pas permis jusqu'à ce jour la constitution de groupes industriels transnationaux par la répartition de leur capital et la composition de leurs équipes dirigeantes.

Autant il serait vain de prétendre pousser artificiellement à la constitution de tels groupes en leur octroyant des avantages discriminatoires, autant il serait dans la logique du marché unique que soient éliminés les obstacles que rencontrent leurs éventuels promoteurs.

Or, il apparaît que l'élimination de ces obstacles est elle-même très difficile. L'ouverture des marchés publics à la concurrence n'est pas assurée pour tous les secteurs au plan juridique (armements) et demeure souvent théorique. Les normes sont loin d'être harmonisées dans le secteur des chemins de fer ou des télécommunications. L'absence de statut de société européenne contraint les groupes transnationaux à des acrobaties juridiques et fiscales.

L'action de la Commission dans ce domaine a toujours été paralysée par les conflits de doctrine et les différences de sensibilité entre États membres. Alors que l'Allemagne accepte en principe une large ouverture, la France milite pour le maintien d'une certaine protection, notamment à l'égard du Japon et plus particulièrement dans le secteur automobile (voir Politique commerciale*). Plus généralement, la France verrait d'un bon œil l'élaboration d'une stratégie défensive à l'égard des pays tiers, y compris un certain contrôle de leurs investissements dans la Communauté. En revanche, la Grande-Bretagne qui accueille sur son territoire d'importants investissements japonais, est très attachée au principe de non-discrimination suivant l'origine des capitaux qui est la règle du traité de Rome.

Ces divergences de principe, se conjuguant avec la priorité accordée alors aux négociations d'adhésion, expliquent le peu d'écho recueilli par le mémorandum sur la politique industrielle de 1970. La Commission avait présenté des orientations dont la plupart ne devaient trouver un commencement de réalisation que quinze ans plus tard avec l'Acte unique de 1985.

Les mesures les plus urgentes qui restent à prendre pour doter la Communauté d'une « assise industrielle commune », souhaitée lors du sommet de Paris de 1972, seraient sans aucun doute celles qui faciliteraient l'européanisation de quelques grands groupes. Pourraient y contribuer l'ouverture effective des marchés publics, y compris d'armements, l'adoption de normes communes et une politique commune de crédit à l'exportation. Il existe de ce fait un lien étroit entre le progrès de l'union dans le secteur des affaires étrangères et de la défense et dans le secteur technologique et industriel.

La constitution de groupes européens transnationaux se heurte également à un certain protectionnisme structurel. Les rachats d'entreprises et les opérations publiques d'achat ou d'échange, théoriquement libres à l'intérieur du Marché commun, se heurtent parfois à des obstacles de caractère plus ou moins nationaliste. En

France, les entreprises appartenant au complexe militaro-industriel sont étroitement liées à l'État, même lorsqu'elles sont de statut privé (Dassaut). En Allemagne, le contrôle des entreprises par les banques rend très difficile la pénétration du capital étranger.

Enfin les relations sociales dans les entreprises répondent à des traditions différentes. Alors qu'en Allemagne, les représentants des travailleurs siègent dans les conseils de surveillance (codécision) et participent effectivement à la gestion des entreprises, la Grande-Bretagne ignore même la formule française des comités d'entreprise. Ces traditions différentes sont une des raisons qui ont jusqu'à présent fait obstacle à l'adoption d'un statut de société européenne. Les perspectives ouvertes à Maastricht* vers une politique sociale* plus active, incluant un dialogue social à l'échelle communautaire, devraient conduire à un rapprochement progressif, au moins pour ce qui est du continent.

INSTITUTIONS

Les Communautés européennes ont été longtemps régies par quatre institutions principales : une Assemblée parlementaire désormais appelée Parlement* européen, un Conseil composé de représentants des gouvernements nationaux, une Commission nommée par les gouvernements mais en principe indépendante, une Cour de Justice*.

La création du Conseil européen, réunissant au moins deux fois par an les chefs de gouvernement (pour la France le chef de l'État), a d'abord résulté d'une simple décision des gouvernements prise en 1974 à l'initiative de M. Giscard d'Estaing. Elle a été confirmée en 1985-1986 par l'Acte unique*. Toutefois, le Conseil européen n'est pas une institution communautaire au sens strict : il donne des orientations, des impulsions, négocie des compromis politiques, parfois très importants lorsqu'ils portent, comme à Maastricht, sur de nouveaux traités européens, mais il ne prend pas de décisions au sens juridique, à moins qu'il ne siège en tant que Conseil des Communautés.

Plusieurs autres institutions de moindre importance doivent être mentionnées : le Comité économique et social, réunissant 184 représentants

(24 pour chacun des quatre principaux pays) des grandes catégories socio-économiques, désignés par les gouvernements, le plus souvent sur proposition des organisations professionnelles et syndicales ; la Cour des Comptes composée de 12 membres ; la Banque européenne d'investissements, dont le rôle est de contribuer au développement des régions les moins riches de la Communauté ainsi qu'à celui des pays tiers qui ont conclu des accords d'association ou de coopération avec la Communauté ; l'institut universitaire européen de Florence ; le centre de formation professionnelle de Berlin ; la fondation pour la qualité de la vie de Dublin.

Les accords de Maastricht* ont prévu la création d'un Comité des Régions sur le modèle du Comité économique et social dont il utilisera le secrétariat. Ils ont donné le rang d'institution majeure à la Cour des Comptes. Ils ont surtout décidé la création d'un Institut monétaire qui, succédant au comité monétaire, aura pour mission de préparer l'union monétaire. Dans ce domaine, l'étape décisive sera la création en 1997 ou en 1999 d'une banque centrale européenne indépendante aussi bien des États que des autres institutions communautaires afin d'assurer sa mission essentielle qui sera le maintien de la stabilité de l'écu devenu monnaie unique.

Le Parlement et la Cour de Justice figurant parmi les mots clés, il ne sera question ici que du Conseil et de la Commission.

Le Conseil est composé de membres des gouvernements des États. La Belgique a obtenu à Maastricht que des membres de gouvernements régionaux puissent y être admis. Bien que les ministres chargés des différents domaines d'action communautaire se réunissent plus ou moins régulièrement en formations séparées (affaires étrangères, économie, finances, agriculture, transports, etc.), il n'existe juridiquement qu'un seul Conseil.

Le Conseil prend ses décisions à l'unanimité ou désormais le plus souvent à la majorité qualifiée, chacun des États disposant d'un nombre de voix, non pas proportionnel, mais en rapport avec sa population. Les quatre États les plus peuplés (Allemagne*, Royaume-Uni*, Italie*, France*) disposent chacun de 10 voix, l'Espagne* de 8, la Belgique, la Grèce, les Pays-Bas et le Portugal de 5. L'Irlande et le Danemark de 3, le Luxembourg de 2. La majorité qualifiée est de 54 voix. Alors que l'Allemagne a demandé, sans l'avoir obtenue jusqu'à présent, une augmentation de sa représentation au Parlement au titre de ses nouveaux Länder de l'Est, elle ne semble pas devoir demander une augmentation du nombre de ses voix au sein du Conseil.

La Commission comprend dix-sept membres qui ne sont pas les représentants de leur pays mais doivent agir en vue de l'intérêt commun. Les cinq plus grands pays ont deux commissaires de leur nationalité et les autres un seul. Il était envisagé de ramener à douze le nombre des Commissaires (un par pays) mais la décision a été reportée, tout comme celle concernant le Parlement, à l'échéance des prochaines adhésions.

La Commission exerce ses fonctions en toute indépendance, suivant le serment prêté par ses membres. Elle est soumise au contrôle du Parlement qui lui adresse des questions et peut la renverser par un vote de censure adopté à la majorité absolue des membres composant le Parlement et à celle des deux tiers des suffrages exprimés. Cette éventualité ne s'est jamais produite, le Parlement étant plutôt l'allié naturel de la Commission, face aux États.

ITALIE

Pour l'Italie d'après-guerre qui a réussi un remarquable développement économique sans pour autant parvenir à combler l'écart entre nord et sud et moderniser ses structures politiques et administratives, l'Europe est en quelque sorte un État de substitution.

Le démocrate-chrétien, Alcide de Gasperi, qui gouverne l'Italie sans interruption, à la tête de huit cabinets successifs de 1945 à 1953, figure avec ses amis Adenauer et Schuman parmi les Pères de l'Europe*. Il fait entrer l'Italie dans la CECA* en 1951 et engage le processus de modernisation de l'industrie italienne. L'échec du projet de Communauté de Défense (CED) en 1954 est durement ressenti en Italie. La relance qui conduira au Marché commun* et à l'Euratom* est lancée à Messine et les deux traités sont signés au Capitole de Rome en mars 1957.

Depuis lors l'Italie n'a cessé de soutenir activement la politique d'intégration européenne avec cependant plus de zèle rhétorique que d'application ponctuelle des directives et règlements communautaires.

L'Italie a su tirer profit de l'intégration européenne. Elle est passée en quelques décennies d'une situation de pays pauvre, dont les citoyens émigraient massivement, à celle de pays développé, dont la partie nord est parmi les plus prospères d'Europe. Le démarrage des années cinquante a pris l'allure d'un « miracle » à partir de 1957-1958 avec des taux de croissance du produit intérieur supérieurs à 10 % l'an.

Hostile au départ à la construction européenne et plus violemment au Pacte atlantique, la gauche italienne s'est peu à peu ralliée à l'une et à l'autre. Dès 1957, le parti socialiste de Pietro Nenni vote le traité d'Euratom et s'abstient sur le traité de Marché Commun, auquel il se ralliera bientôt ainsi qu'un peu plus tard le parti communiste. « L'euro-communisme » est une spécialité italienne qui permettra au PCI d'éviter le déclin inexorable du PC français.

Un des aspects les plus étonnants du miracle italien est qu'il a pu se produire en dépit d'obstacles considérables et sans que les défauts majeurs des structures politiques et administratives italiennes aient été corrigés.

L'explication est d'abord dans le talent d'un peuple privé par l'émiettement de la péninsule des bénéfices politiques qu'aurait dû lui valoir la créativité fantastique dont il avait fait preuve à l'époque de la Renaissance. Autres facteurs du succès : la conjonction du dynamisme d'entreprises familiales, de l'économie dite « immergée », des ressources en gaz naturel découvertes au cours des années cinquante, de la puissance de l'IRI (Istituto per la reconstrusione industriale), consortium d'État hérité de la période fasciste, et de l'ENI (Ente nazionale per li idrocarburi) chargée d'exploiter le gaz naturel.

Cependant, les difficultés et les troubles n'ont pas épargné l'Italie : durs affrontements politiques et sociaux dans les années d'après-guerre atténués, il est vrai, par un consensus plus ou moins explicite entre démocrates-chrétiens et communistes sur la constitution et sur les relations avec le Vatican (l'acceptation des accords de Latran ne fut possible que grâce à l'appui du PCI), partitocratie généralisée, scandales à répétition, organisations criminelles tirant leur puissance d'une tradition culturelle de résistance au pouvoir (mafia sicilienne et camora napolitaine), mauvais gouvernement, *mal governo*, se traduisant par l'impuissance d'une administration pléthorique et peu efficace.

Le régime politique italien rappelle celui de la IIIe et de la IVe République française : instabilité gouvernementale, rôle effacé du président de la République, régime des partis et rivalité des fractions à l'intérieur du parti dominant. Toutefois, certains traits distinguent la République italienne : le referendum d'initiative populaire qui a permis au peuple d'imposer certaines réformes de société (légalisation du divorce et de l'avortement, abandon du nucléaire), la régionalisation prévue par la constitution de 1946 mais retardée jusqu'en 1970 et comportant une plus large autonomie des îles (Sicile et Sardaigne) ainsi que du Trentin-Haut Adige et du val d'Aoste.

Une réforme constitutionnelle inspirée par le modèle semi-présidentiel français est souhaitée par le parti socialiste de Bettino Craxi ainsi que par le président de la République Francisco Cossiga, dont les interventions de plus en plus véhémentes irritent la majorité de la classe politique. Il est douteux qu'elle puisse aboutir face à l'hostilité du parti communiste et de la majorité de la démocratie chrétienne.

L'Italie a été durement éprouvée dans les années soixante et soixante-dix par un implacable terrorisme d'extrême-gauche et d'extrême-droite. Les exploits sanglants des brigades rouges culminent avec l'enlèvement et l'assassinat en 1978 d'Aldo Moro, leader exemplaire de la démocratie-chrétienne. L'extrême-droite, avec la complicité des services secrets et d'une association de malfaiteurs déguisée en loge maçonnique, est à l'origine de plusieurs attentats meurtriers. Le plus important fait à Bologne quatre-vingts morts et deux cents blessés en août 1980.

La démocratie italienne parviendra, grâce au courage des carabiniers et de quelques magistrats, à réduire le terrorisme sans avoir recours à des mesures de répression excessives. Elle sera moins heureuse dans sa lutte contre la mafia, courageusement combattue par la Justice, mais plus ou moins infiltrée dans certains milieux politiques et protégée par eux.

Malgré des succès partiels,

notamment dans les Pouilles, l'échec le plus flagrant de l'Italie demeure de n'avoir pas réussi, en dépit de transferts financiers considérables venant aussi bien de l'État que de la Communauté européenne, à combler l'écart économique et culturel entre Nord et Sud. Pendant longtemps, l'émigration des hommes du Sud a favorisé l'industrialisation du Nord. Aujourd'hui un mouvement d'opinion se manifeste dans le Nord pour rejeter une solidarité jugée trop coûteuse avec un Sud arriéré. Les « ligues », dont la principale est la ligue lombarde, exploitent ce thème avec succès devant le corps électoral. Le mal, il est vrai, remonte loin : au rattachement du Sud à l'Espagne endormie du XVIIIe siècle et surtout les conditions de l'unification réalisée sans transitions ni ménagements au profit du Nord par Cavour et la Maison de Savoie en 1860.

La contribution de l'Italie à la construction européenne a été d'autant plus active et déterminée que, de tous les peuples européens, l'Italien est sans conteste le plus disposé à accepter le transfert de sa souveraineté au sein d'une fédération. Les Italiens occupent une place éminente dans le développement des idées fédéralistes. Dès le temps de guerre Altiero Spinelli et Ernesto Rossi lancent le manifeste de Ventotene (îlot où Mussolini a placé Spinelli en résidence surveillée après dix années d'emprisonnement). Le même Spinelli, personnalité remarquable, après avoir conseillé de Gasperi exerça une influence décisive sur Pietro Nenni, ministre des Affaires étrangères à la fin des années soixante. Nommé à la Commission européenne en 1970 et un peu plus tard élu au Parlement européen sur la liste du PCI, cet ancien communiste, qui avait quitté le parti à l'époque des procès de Moscou, va réussir à convaincre une majorité de ses collègues d'adopter en 1984 un projet d'union européenne à la fois ambitieux et réaliste. Pour la première fois, est affirmé le principe suivant lequel une majorité substantielle d'Européens ne peuvent accepter d'être bloqués par une petite minorité. Le projet Spinelli prévoyait l'entrée en vigueur de l'Union après ratification par une majorité d'États représentant les deux tiers de la population de la Communauté.

Si les gouvernements se refusèrent à reprendre ce projet à leur compte, ils devaient s'en inspirer, suivant le mot de François Mitterrand. L'Acte unique* de 1986 et plus encore le traité de Maastricht*, bien qu'en retrait par rapport au projet Spinelli, répondent assez largement à cette inspiration et ouvrent la voie vers cette Union fédérale qui demeure pour l'Italie l'objectif majeur de sa politique.

Il reste à l'Italie à relever un défi redoutable : celui de remplir les critères de convergence lui permettant de participer à l'union monétaire européenne. Cela suppose une réduction massive, peut-être grâce aux privatisations, d'un déficit budgétaire dépassant aujourd'hui 10 % (au lieu de 3 %) et d'un endettement dépassant largement 100 % du produit intérieur (au lieu de 60 %).

LÉGITIMITÉ

En démocratie, la légitimité ne peut venir que du peuple souverain. Les systèmes démocratiques fédéraux assurent la suprématie des organes communs en donnant à l'ensemble des citoyens des entités fédérées, la désignation d'une des chambres du Parlement et parfois de l'Exécutif. Bundestag allemand, Conseil national suisse, Chambre des représentants des États-Unis sont désignés directement par les citoyens. Mais alors que le président américain est élu par des délégués des États ayant reçu un mandat impératif, ce qui équivaut dans la pratique à une élection directe, les Exécutifs suisse et allemand procèdent du Parlement. Dans ces trois fédérations modèles, il existe une chambre représentant les Länder (Bundesrat allemand), les Cantons (Conseil des États suisse) ou les États (Sénat des États-Unis). Dans ces trois exemples, la composition de la chambre représentant les entités fédérées assure à celles-ci une représentation égale (Suisse, États-Unis) ou ne tenant que faiblement compte des écarts de population (Bundesrat). Enfin la chambre représentant les États est désignée au suffrage universel

(États-Unis), composée de délégués des gouvernements locaux (Allemagne) ou composée de délégués des cantons désignés suivant une procédure déterminée par ceux-ci (Suisse).

Cette double légitimité des organes fédéraux — légitimité populaire directe, légitimité au regard des entités fédérées — inspire déjà en partie les institutions européennes, bien que l'équilibre penche très fortement du côté des États. En effet le Parlement* européen, seul organe procédant du suffrage des citoyens, ne dispose que de pouvoirs limités et n'avait, avant Maastricht*, aucune part à la désignation de l'Exécutif. En revanche, le Conseil européen, composé des plus hauts représentants des États, s'est affirmé comme l'instance suprême d'impulsion et d'arbitrage. Les accords de Maastricht ont apporté une légère amélioration en étendant les prérogatives du Parlement et en reconnaissant une citoyenneté* européenne et son corollaire en matière de droit de vote et d'éligibilité, ce qui a pour résultat de modifier la nature du Parlement qui désormais ne représentera plus chacun des peuples composant l'Union mais l'ensemble des citoyens de l'Union.

Ces réformes sont insuffisantes pour garantir l'émergence d'une personnalité européenne distincte de celle des États. Celle-ci supposerait l'établissement d'un meilleur équilibre entre les deux légitimités.

Parmi les hypothèses envisagées, l'une des plus plausibles consisterait à maintenir le rôle acquis par le Conseil européen, à transformer le Conseil de ministres en une Chambre des États sur le modèle du Bundesrat et à confier à un collège exécutif désigné d'un commun accord par le Conseil européen et le Parlement (ou par les deux chambres du Parlement) les fonctions exécutives aujourd'hui remplies par le Conseil et la Commission. On pourrait envisager, dans une étape ultérieure, l'élection directe au suffrage universel du collège exécutif. Sa légitimité démocratique face aux représentants des États deviendrait incontestable. L'élection directe d'un Exécutif européen contribuerait mieux que toute autre mesure à développer le sentiment d'appartenance à l'Europe parmi les citoyens, en leur offrant le choix entre des listes et des programmes véritablement européens.

MAASTRICHT
(accords de)

Maastricht est une ville des Pays-Bas située sur la Meuse entre l'Allemagne et la Belgique où, les 12 et 13 décembre 1991, le Conseil européen est parvenu à un accord général sur la double négociation de l'union politique et de l'union économique et monétaire.

Cette négociation s'était poursuivie au sein de deux conférences intergouvernementales convoquées lors du Conseil européen de Rome de décembre 1990.

La nécessité de compléter le marché unique par une union monétaire avait conduit les États à confier à un comité d'experts présidé par Jacques Delors la mission d'en étudier les modalités.

Les inquiétudes suscitées par la réunification très rapide de l'Allemagne en 1990 avaient par ailleurs amené le chancelier Kohl à proposer au président Mitterrand une initiative conjointe en faveur de l'union politique. Il s'agissait, pour le premier, de montrer que l'Allemagne réunifiée demeurait fidèle à la politique d'union européenne et, pour le second, de mettre à profit cette bonne volonté allemande pour faire franchir une nouvelle étape à la construction européenne, qui rende irréversible le processus d'union.

Les accords de Maastricht, simple résolution du Conseil européen, ont été ensuite mis dans la forme d'un traité signé le 7 février 1992 dans la capitale du Limbourg par les douze ministres des Affaires étrangères. Seul l'avenir permettra d'apprécier la portée exacte de ce traité, simple amélioration du processus communautaire et de la coopération politique ou tournant décisif vers une union fédérale ?

On peut estimer cependant que des décisions importantes ont été prises dans cinq domaines.

1. Un engagement ferme a été souscrit en faveur de l'*Union économique et monétaire**, incluant le remplacement des onze monnaies nationales par une monnaie unique entre les pays répondant à cinq critères de bonne situation économique et monétaire et au plus tard le 1er janvier 1999. Les cinq critères sont relatifs à la stabilité des prix, à l'équilibre budgétaire, au niveau de la dette publique, au taux d'intérêt et à la stabilité du taux de change au sein du SME. Dans le cas où sept pays répondraient à ces critères, la monnaie unique pourrait être instituée dès le 1er janvier 1997. Le Premier ministre britannique John Major, sans s'opposer à l'accord a obtenu que l'adoption éventuelle de la monnaie unique par le Royaume-Uni* soit subordonnée à une décision, le moment venu, du Parlement de Westminster.

Il existe peu de doutes qu'en cas d'adoption effective de la monnaie unique, le Royaume-Uni rejoindra, s'il le peut, le groupe des pays participants. Les doutes parfois exprimés au sujet de la réalisation effective de l'union monétaire tiennent à la capacité des États à tradition inflationniste à maintenir une politique macro-économique d'autant plus rigoureuse qu'ils doivent constamment faire la démonstration de leur persévérance, alors que des voix s'élèvent, notamment en France, pour conseiller l'abandon de la rigueur en vue d'accélérer la croissance et de réduire le chômage.

Certains s'interrogent également sur l'acceptation par le peuple allemand de la renonciation au deutsche mark devenu le symbole de la prospérité de l'Allemagne et l'une des meilleures, sinon la meilleure monnaie du monde.

2. Il a été décidé à Maastricht que les Douze établissaient entre eux une *Union européenne** fondée d'une part sur les Communautés, d'autre part sur de nouvelles formes de coopération de type intergouvernemental mais cependant conduites au sein du cadre institutionnel communautaire.

Un compromis délicat a été ainsi trouvé entre ceux qui, comme la Commission, les Pays-Bas, la Belgique et sans doute l'Allemagne et l'Italie, auraient souhaité que l'Union se réalise par extension des compétences de la Communauté et ceux qui, comme le Royaume-Uni, le Danemark et sans doute la France ou du moins certains éléments influents de la diplomatie française, souhaitaient développer l'Union politique en dehors du cadre juridique et institutionnel communautaire.

Ces deux conceptions opposées ont été illustrées par la métaphore de l'arbre à plusieurs branches (solution du cadre unique avec possibilité de modalités de décision diverses) et du temple à divers piliers indépendants (pilier communautaire, pilier de la politique étrangère et de sécurité commune, pilier de la coopération en matière d'immigration, de police et de justice). Le succès apparent de cette dernière conception se trouve atténué par l'affirmation du cadre institutionnel unique et la programmation d'un rendez-vous politique en 1996.

En revanche le dispositif prévu dans le domaine de la politique étrangère et de sécurité commune (PESC) maintient le principe paralysant de l'unanimité, non seulement pour la détermination des orientations mais aussi pour la mise en œuvre. M. Major a obtenu que la possibilité d'adopter des décisions d'application, d'exécution ou d'action à la majorité qualifiée soit d'abord décidée à l'unanimité. Il est à craindre, dans ces conditions, que la PESC ne se réduise à peu de choses.

De même, les questions devenues essentielles de l'immigration (visa, asile politique, quota d'immigration) et de la lutte contre les diverses formes de criminalité internationale demeurent presque entièrement soumises à la règle d'unanimité et soustraites au contrôle de la Cour de Justice*.

La Commission dispose cependant d'un droit non exclusif de proposition dans ces domaines nouveaux. De même le Parlement a le droit d'être informé et celui de délibérer, mais non celui de ratifier ou d'approuver d'éventuels accords qui seraient conclus avec les pays tiers dans ces domaines non communautarisés.

En ce qui concerne la question délicate entre toutes de la défense, un compromis a été trouvé entre tenants de l'Atlantisme et promoteurs d'une identité européenne de défense. L'Union de l'Europe occidentale* (UEO) devient le bras armé de l'Union européenne et doit peu à peu constituer le pilier européen de l'Alliance atlantique que l'on envisage non d'affaiblir mais de renforcer.

3. *Le champ d'application des décisions pouvant être prises à la majorité qualifiée* a été étendu à de nouveaux domaines communautaires tandis que la Communauté* recevait de *nouvelles compétences.*

En premier lieu l'ensemble des questions économiques et monétaires relèveront désormais à la fois de la compétence communautaire et de décisions majoritaires, sous réserve des compétences qui seront confiées à la future banque centrale indépendante dont la mission essentielle sera, conformément au souhait allemand, d'assurer la stabilité de la future monnaie unique.

L'extension du domaine majoritaire concerne l'environnement*, sous réserve de quelques exceptions, la politique de recherche* et de développement technologique ainsi que la politique sociale* (le Royaume-Uni ayant obtenu, à la demande de M. Major, de demeurer à l'écart de cette dernière).

Les compétences communautaires s'étendent à la création de réseaux européens (transports, télécommunications, énergie), à la protection des consommateurs, à la santé, à l'éducation et à la culture*, sous réserve du principe de subsidiarité, enfin à la politique industrielle, sur demande de la France et de l'Italie. La règle majoritaire s'applique à ces nouveaux domaines à l'exception de la politique industrielle.

4. *L'accord sur la politique sociale* a donné lieu à une intéressante innovation juridique.

M. Major, très hostile ainsi que la majorité des conservateurs britanniques, à toute contrainte qui serait imposée aux entreprises du Royaume-Uni par la Communauté, a résisté jusqu'au bout à la pression de ses partenaires au risque de provoquer l'échec de la conférence.

Le compromis adopté a consisté pour les douze États, Royaume-Uni compris, à autoriser onze d'entre eux à adopter un programme de politique sociale, arrêté dans un protocole annexe. Ce protocole prévoit la possibilité pour les Onze d'adopter, à la majorité qualifiée, des décisions en matière de santé et de sécurité sur les lieux de travail, de conditions de travail, d'égalité entre travailleurs des deux sexes, de lutte contre l'exclusion. Le Royaume-Uni ne participera pas à ces décisions et le calcul de la majorité ne tiendra pas compte des voix britanniques. Bien entendu celui-ci demeure engagé par les articles des traités et les décisions ultérieures prises par la Communauté au titre de la politique sociale. On peut se demander si la Cour de Justice considérera les décisions prises à Onze comme décisions communautaires.

5. A la demande du Premier ministre espagnol Felipe Gonzales *la notion de citoyenneté européenne* fait son entrée dans le droit communautaire. Outre la décision de consentir le droit de vote et d'éligibilité aux ressortissants des pays membres résidant dans un autre État de la Communauté pour les élections locales et pour l'élection du Parlement européen, la citoyenneté communautaire confirme l'évolution tendant à considérer la Communauté comme une démocratie plurinationale et non plus seulement comme une association de démocraties.

Il s'agit là d'un progrès important au plan des principes. Ainsi, désormais, le Parlement ne sera plus composé de délégations de chaque pays mais de représentants des peuples européens considérés dans leur ensemble.

Le déficit de démocratie dont se plaignaient aussi bien les amis que les adversaires de la Communauté est partiellement comblé par une extension limitée mais non négligeable des prérogatives du Parlement, ainsi que le demandait l'Allemagne qui en avait fait une condition de son accord sur l'union monétaire.

Le Parlement reçoit non seulement un pouvoir de codécision, impliquant la possibilité de rejeter les textes adoptés par le Conseil contrairement à son avis, mais également le droit d'approuver la désignation de la Commission. Son accord est également exigé pour tout accord important conclu par la Communauté, de même qu'il était déjà nécessaire, depuis l'Acte unique, pour les accords d'adhésion ou d'association.

La France a renoncé à demander la création d'une seconde chambre composée, comme l'était à l'origine le Parlement, de délégués des Parlements nationaux, le Conseil des ministres assurant déjà la représentation des États dans le système institutionnel communautaire en tant qu'élément du pouvoir législatif. Cependant, la France a obtenu une recommandation en faveur de réunions du Parlement européen et des Parlements nationaux.

MARCHÉ COMMUN

L'expression que l'on trouve à l'article 2 du traité de Rome recouvre deux réalités différentes. Tantôt, au sens strict, il se confond avec le marché intérieur au sein duquel les marchandises, les services, les capitaux et les personnes doivent circuler librement, tantôt il désigne l'ensemble des réalisations communautaires. Ce dernier usage populaire et journalistique du terme de marché commun est devenu inadéquat à mesure du développement de la Communauté économique. Le sigle CEE est lui aussi dépassé par les progrès de la construction européenne. La Communauté exerce désormais des tâches débordant le domaine de l'économie. Si les accords de Maastricht* ont prévu le développement de la politique étrangère et de sécurité commune en dehors du cadre juridique communautaire, ils n'en ont pas moins fait des institutions communautaires, les institutions de l'Union.

Dès lors, si l'on veut exprimer correctement la réalité juridique et politique d'aujourd'hui, on doit utiliser le terme Communauté* européenne, sans autre adjectif, ou celui d'Union européenne*. L'usage consacrera vraisemblablement le premier terme qui a le mérite de rappeler les ambitions humanistes des fondateurs.

Si le Marché commun ne peut plus désigner l'ensemble de la construction communautaire, il n'en demeure pas moins son fondement. Au-delà de la libre circulation, l'expression marché commun signifie un marché organisé soumis à des disciplines qui visent :

— à l'élimination des discriminations de toute nature et en premier lieu de nationalité ;

— à l'harmonisation des réglementations nationales dans la mesure nécessaire à son bon fonctionnement ;

— au maintien de la libre concurrence* au moyen d'un contrôle exercé sur les ententes et les positions dominantes.

Le glissement terminologique du marché commun au marché unique ou au grand marché intérieur ne signifie nullement l'abandon des aspects organisationnels du marché commun, même si l'expérience a montré qu'une harmonisation très poussée des réglementations nationales n'était pas nécessaire pour assurer l'élimination des entraves aux échanges. Depuis la « nouvelle approche » adoptée en 1986, on limite l'harmonisation aux caractères essentiels des produits, et pour le reste on admet la reconnaissance mutuelle. Un produit répondant aux exigences essentielles harmonisées et aux normes de l'État d'origine doit être accepté dans l'ensemble du marché commun.

Le succès du marché commun qui a survécu aux crises et à l'évolution des idées tient pour une large part au fait qu'il réalise une synthèse des apports les plus pertinents des doctrines libérale et socialiste. Du libéralisme, il retient les notions de marché, de concurrence, de liberté de commercer et d'entreprendre, du socialisme que la liberté ne va pas sans un minimum d'organisation et de solidarité.

Au demeurant, le ralliement des socialistes latins à la social-démocratie et le succès du modèle allemand de l'économie sociale de marché ont conduit à un assez large consensus du moins sur les principes essentiels qui sont à la base du marché commun. Seuls les contestent encore les partis communistes, à l'exception du plus important, le parti italien dont l'évolution vers la social-démocratie l'a conduit à changer d'appellation, quelques mouvements marginaux d'extrême-gauche et les ultra-libéraux dont le chef de file demeure Mme Thatcher.

L'appartenance au marché commun ne fait nullement obstacle à ce que des infléchissements importants dans la voie du libéralisme ou du socialisme soient décidés par les électeurs de chacun des États membres. L'extension du secteur des entreprises publiques ou leur privatisation, le caractère plus ou moins redistributif de la fiscalité continueront à relever du libre choix de chaque État.

Cependant la politique de la Communauté devrait, à l'avenir, être influencée autant par l'équilibre des forces au sein du Parlement* que par celui des tendances au pouvoir dans les États membres. Ainsi est appelé à s'établir peu à peu un nouvel équilibre entre la légitimité démocratique des États, aujourd'hui encore prédominante, et la légitimité démocratique communautaire en voie de constitution.

MARCHÉ UNIQUE

Après sa nomination en 1984 à la présidence de la Commission à laquelle il accéda le 1er janvier 1985, Jacques Delors ne tarda pas à constater après un tour des capitales que le seul terrain de relance possible pour une construction européenne en stagnation depuis plus de dix ans était la réalisation d'un véritable marché unique accomplissant en quelque sorte les promesses non tenues du marché commun*. Quelques mois plus tard, la Commission publiait un *Livre blanc* énumérant les trois cents mesures exigées pour sa réalisation.

Aux quatre libertés définies dans le traité de Rome — libre circulation des marchandises, des services, des capitaux et des hommes — incomplètement acquises en 1985, le marché unique ou marché intérieur ajoute la notion d'un « espace sans frontières » retenue dans l'Acte unique*. Le fait qu'une date, le 31 décembre 1992, ait été retenue pour la réalisation effective du marché unique a été pour beaucoup dans sa crédibilité et son succès. Le marché unique a donné lieu, de la part des entreprises, aux mêmes anticipations qui avaient été constatées après la signature du traité de Rome en 1957.

Bien que les quelque trois cents mesures prévues dans le *Livre blanc* de 1985 n'aient pas toutes été adoptées et introduites dans le droit interne des États, à la date de parution de ce livre, la réalisation de l'essentiel du programme à la date prévue peut être considérée comme acquise.

Les principales innovations résultant du marché unique sont :

— la libre circulation des capitaux, réalisée dès juillet 1990 ;

— la libération du secteur des services et notamment des services financiers (banque et assurance) qui bénéficient à la fois du droit d'établissement et de la libre prestation (droit d'offrir des services sans être établi);

— l'amorce d'une libéralisation des transports aériens et sans doute la libération effective des transports terrestres;

— un premier rapprochement des taux de TVA et une modification du mode de perception (à titre transitoire);

— le droit pour les personnes de s'établir dans le pays de leur choix sans que ce droit soit lié à une qualité quelconque;

— enfin et surtout la suppression des contrôles physiques aux frontières intérieures de la Communauté aussi bien pour les marchandises que pour les voyageurs.

Avant même sa réalisation complète, le Marché unique a donné lieu à des critiques et a révélé des insuffisances auxquelles les accords de Maastricht* n'ont que partiellement répondu.

L'insuffisance la plus criante concernait le domaine monétaire. La persistance d'un risque même atténué de changement des parités et l'énormité des coûts de transaction en l'absence d'une monnaie commune et unique auraient considérablement réduit la portée pratique du marché unique. Cette lacune devrait être comblée au plus tard le 1er janvier 1999, si les promesses de Maastricht sont tenues. (Voir Union économique et monétaire*.)

La suppression des contrôles aux frontières aurait dû logiquement conduire à une politique commune en matière d'immigration et d'asile politique. Sur ce point beaucoup reste à faire. Le maintien quasi général de la règle d'unanimité ne permet guère l'optimisme. (Voir Schengen*.)

La libération complète des mouvements de capitaux aurait également dû s'accompagner d'une harmonisation fiscale autant dans le domaine des taxes indirectes que des impôts sur le revenu. Si des progrès ont été faits en matière de TVA, on s'est heurté au veto du Luxembourg ainsi qu'aux réticences d'autres pays, notamment Allemagne et Royaume-Uni en matière d'impôt sur le revenu. Le projet de retenue à la source de 10 ou 15 % sur le revenu des capitaux n'a pu aboutir. Il en résulte une facilité d'évasion qui pose un grave problème d'équité fiscale. Enfin le grand nombre et la minutie des directives donnent lieu à une véritable campagne de dénigrement de la Commission, lancée par Mme Thatcher lors de son discours-réquisitoire prononcé en 1988 à Bruges (voir Objections*) et repris depuis dans les milieux dits ultra-libéraux. L'intervention ou la menace d'intervention de la Communauté dans des domaines sensibles (mise en cause des chasses traditionnelles du sud-ouest de la France au nom de la protection des oiseaux migrateurs ; propositions de parlementaires européens tendant à interdire les courses de taureaux ; et plus récemment menace sur les fromages au lait cru) a élargi à des milieux plus étendus la crainte d'un impérialisme de la bureaucratie bruxelloise.

On oublie que c'est le plus souvent pour satisfaire aux exigences des experts délégués par les États que la Commission est amenée à compliquer ses propositions, que les décisions ne sont pas prises par elle mais par les ministres et désormais en coopération avec le Parlement. On oublie aussi que très souvent les directives communautaires libèrent en même temps qu'elles réglementent. Il en est ainsi notamment lorsque les directives ont pour objet d'assurer le libre accès des produits au marché contre les tentatives protectionnistes des États.

Cependant que dans certains domaines comme celui de l'agriculture ou celui des échanges d'étudiants, la Commission a sans doute poussé trop loin son zèle réglementaire et son souci du détail. La reconnaissance du principe de subsidiarité et l'attribution à la Communauté de responsabilités majeures dans le domaine monétaire et plus tard vraisemblablement dans celui de la politique étrangère et de sécurité devraient conduire à un fédéralisme* plus équilibré.

NATIONALISME

Le terme nationalisme est un néologisme formé dans la deuxième moitié du XIXe siècle, à partir du terme nationalités, pour désigner la doctrine suivant laquelle l'intérêt national doit l'emporter sur celui des autres nations et *a fortiori* sur un intérêt supérieur commun que récusent les nationalistes.

Alors que les défenseurs du principe des nationalités, que l'on traduit aujourd'hui par le droit à l'auto-détermination, se recrutaient plutôt à gauche et parmi les partisans de la démocratie, les adeptes du nationalisme se situent le plus souvent à l'extrême-droite où ils se confondent avec les tenants des idéologies antidémocratiques et antihumanistes. Les principaux porte-parole des idées nationalistes ont été en France Jacques Bainville, Maurice Barrès et Charles Maurras. Le nazisme allemand, le fascisme italien, le franquisme espagnol se définissaient eux-mêmes comme des nationalismes. Théoriquement internationaliste et antinationaliste, le communisme marxiste, dévoyé par Lénine et surtout par Staline, a souvent développé des thèmes nationalistes, notamment pour tenter de faire échec aux entreprises de regroupement des démocraties.

Dans la mesure où il conduit à la défense des intérêts nationaux aux dépens de ceux des autres nations et où il alimente des sentiments de particularisme haineux à l'égard des étrangers, le nationalisme est une des principales causes des guerres. Il se retourne en définitive contre l'intérêt des peuples et ne doit jamais être confondu avec le patriotisme dont il n'est que la caricature. Moins virulent et surtout moins dangereux dans les démocraties, il n'y est pas moins présent et inspire parfois les décisions ou les attitudes de gouvernements issus du libre suffrage.

La construction européenne est sans aucun doute le plus grand défi qui ait jamais été lancé aux nationalismes. L'ampleur du défi provient de ce que cette entreprise vise à unir de vieilles nations fières de leur passé, attachées à leur souveraineté et qui se sont souvent et violemment combattues. Ainsi s'expliquent les résistances qu'elle rencontre, en particulier dans les pays (Angleterre, France) où l'État s'est depuis longtemps confondu avec la Nation, situation que n'ont pas connue l'Allemagne et l'Italie avant la fin du XIXe siècle.

C'est pourquoi l'édification d'une Union européenne* ayant une personnalité distincte de celle de ses États membres, unissant leurs souverainetés et capable de mener une politique qui s'impose à eux, ne se conçoit pas sans un combat sans relâche contre la résurgence toujours à craindre du nationalisme.

La libération des nations de l'Europe centrale et orientale, longtemps étouffées sous le couvercle sans fissures du communisme soviétique, s'accompagne d'un surgissement compréhensible mais inquiétant des nationalismes qui, comme on l'a vu dans le tiers monde décolonisé, prennent souvent la forme de micro-nationalismes à base ethnique ou religieuse. La guerre civile yougoslave, le conflit du Haut-Karabakh opposant Arméniens et Azéris, les troubles dans de nombreuses autres parties de l'ancienne URSS et parfois même au sein de la nouvelle Russie en sont les manifestations extrêmes. On assiste à des phénomènes de moindre gravité en Tchécoslovaquie où les aspirations slovaques à une très large autonomie menacent l'unité du pays.

Certains voient dans ces mouvements le signe que le nationalisme est de retour et en concluent à l'impossibilité de poursuivre dans la voie du regroupement libre des nations à l'ouest du continent. C'est bien entendu l'analyse inverse qui s'impose à tout observateur favorable à un ordre international pacifique. La menace d'anarchie à l'est du continent ne fait que rendre plus précieux, par comparaison, l'ordre démocratique établi à l'Ouest.

Cependant cet ordre est lui-même l'objet de menaces plus ou moins insidieuses. Aux anciennes plaies purulentes du pays basque ou de l'Ulster où une poignée de fanatiques, impuissants dans les urnes, cherchent à s'imposer par la terreur, l'indépendantisme corse d'autant plus violent qu'il se sait minoritaire, les extrémismes flamand et wallon qui menacent l'unité de la Belgique, enfin le nationalisme anti-immigrés particulièrement virulent en France et en Allemagne sont autant de manifestations du nationalisme, dont beaucoup ont partie liée avec les adversaires de l'union européenne.

OBJECTIONS

Bien qu'ayant bénéficié jusqu'à présent du consentement populaire en France comme dans les autres États fondateurs, la construction européenne n'a jamais constitué un thème de mobilisation populaire, sauf dans une certaine mesure en Italie. Elle n'a cessé en revanche de se heurter à des objections de nature très diverse. Ces objections se font plus vives à mesure que l'union, en s'approfondissant, affecte davantage la vie quotidienne des citoyens. Elles gagnent en influence y compris dans des milieux traditionnellement favorables à la construction européenne. Ces objections méritent un examen sérieux.

On peut distinguer les objections de principe tenant à la souveraineté et à la démocratie et les objections de nature pratique tenant au contenu des politiques présentes ou à venir.

Une première famille d'esprits, qui réunit des fidèles du général de Gaulle, parmi lesquels Michel Debré et Maurice Couve de Murville, Yves Guena et dans la nouvelle génération Philippe Seguin, Pierre Mazeaud et au parti socialiste Jean-Pierre Chevènement et ses amis tels Didier

Motchane et Max Gallo, considère que la nation est le cadre indépassable de la démocratie et de la souveraineté. Pour ceux-là, l'Europe ne peut être qu'un espace de coopération entre États et gouvernements et certainement pas le lieu d'exercice d'une démocratie plurinationale ou de mise en commun des souverainetés. Les gaullistes insistent davantage sur l'inaliénabilité de la souveraineté, les socialistes davantage sur la conception jacobine de la République, lieu exclusif du débat démocratique. Bien que membre du Parlement européen, Max Gallo n'hésite pas à stigmatiser l'Assemblée dans laquelle il siège dans les mêmes termes que les conservateurs thatchériens pour qui le Parlement européen n'est qu'une « talking shop », une boutique à bavardages...

En effet cette première famille d'adversaires de l'Europe en voie de fédération est très répandue au Royaume-Uni dans la droite conservatrice. Le club de Bruges, fondé par Mme Thatcher à la suite d'un discours prononcé en septembre 1988 au collège d'Europe, est cependant plus dirigé contre les tendances prétendument bureaucratiques et socialisantes de la Commission que contre le concept de démocratie plurinationale. Il éveille davantage d'échos dans la droite ultralibérale et conservatrice que dans les milieux socialistes ou archéo-gaullistes. Nous retrouvons là un des traits du débat européen qui ne correspond en rien aux clivages habituels. Dans le camp des adversaires comme dans celui des partisans de l'Europe, on trouve des courants politiques profondément antagonistes sur les autres sujets du débat politique.

La réponse des « Européens » à cette première famille d'objections s'inspire des principes du fédéralisme confrontés à la complexité du monde moderne. Alors que le concept de souveraineté absolue a fait la preuve de sa profonde malignité en provoquant deux guerres mondiales et la ruine de l'Europe, l'union des anciens adversaires, non sous une hégémonie interne ou externe, mais par libre consentement, est une garantie de paix, de prospérité et d'équilibre. L'exercice de la démocratie, à différents niveaux, la conjonction des souverainetés sont la meilleure réponse à la complexité d'un monde où toutes les nations sont interdépendantes. L'expérience unique engagée en Europe avec succès depuis quarante ans constitue le développement historique le plus remarquable du XXe siècle. La réconciliation en profondeur des anciens ennemis, le degré de prospérité atteint, en dépit des difficultés présentes, contrastent à la fois avec les folies et les crimes de la première partie du siècle et avec le bilan catastrophique des expériences totalitaires, tel qu'on peut l'observer dans la moitié orientale du continent. Refuser la perspective fédérale du partage de la souveraineté et de la démocratie plurinationale, c'est refuser le seul grand dessein, la seule grande espérance qui subsistent après l'effondrement des idéologies messianiques. C'est aussi refuser la possibilité pour l'Europe de construire un modèle d'institutions supranationales non hégémoniques dont la planète a le plus pressant besoin.

La deuxième catégorie d'objections accompagne en fait souvent quand elle ne dissimule pas l'objection fondamentale.

Les plus fréquentes étaient, jusqu'aux bouleversements de 1989, celles parfaitement contradictoires des doctrinaires du socialisme et du libéralisme. Pour les uns, l'Europe ne pouvait être que socialiste, pour les autres, que libérale. A la réponse trop facile suivant laquelle ces deux critiques s'annulent, on peut ajouter que les traités communautaires ont en fait pris le meilleur des deux écoles : aux libéraux la notion de concurrence et de marché, aux socialistes celle de correction des déséquilibres, de cohésion et de solidarité, aux uns et aux autres le primat du respect des droits humains et l'organisation de relations pacifiques entre les peuples.

Le discours anti-européen s'est rajeuni depuis quelques années à la suite, d'une part, du développement accéléré de la législation communautaire, d'autre part, de la réunification allemande et de l'effondrement du communisme.

La décision des États de réaliser un marché unique défini comme un espace sans frontières a rendu nécessaire l'adoption de plusieurs centaines de règlements ou directives portant sur les domaines les plus divers. Les règlements et directives sont proposés par la Commission et adoptés par les ministres après une série d'examens par les experts des administrations nationales. Ceux-ci poussent le plus souvent à une réglementation méticuleuse soit pour prévenir le risque d'interprétations nationales divergentes, soit pour réduire au strict minimum les possibilités d'appréciation de la Commission et de ses services au stade de la mise en œuvre. Il arrive que la réglementation communautaire menace de modifier des habitudes de consommation ou des comportements ancrés dans les cultures nationales. L'Allemagne craint pour la pureté de sa bière, la France pour le goût de ses fromages ou pour ses chasses traditionnelles, l'Italie pour la composition de ses pâtes. Et tous les journaux de la Communauté s'interrogent sur la nécessité d'harmoniser les règles présidant à la composition des confitures ou de la mayonnaise.

On oublie deux éléments essentiels : que ces règles ont pour objet de faire obstacle au protectionnisme administratif des États prompts à interdire les produits étrangers au nom de la santé publique, que les consommateurs, s'ils se voient offrir la possibilité d'acheter des produits étrangers autrefois prohibés, demeurent libres de continuer à consommer ceux auxquels ils sont accoutumés.

Quant aux chasses traditionnelles, contestées en France même par les défenseurs de la nature, elles menacent des espèces migratrices qui sont un patrimoine européen commun.

Quoi qu'il en soit, une campagne s'est développée, principalement en France et au Royaume-Uni, sur le thème du dérapage réglementaire, conduite par le courant ultralibéral. Elle reçoit parfois le concours inattendu d'intellectuels socialisants qui naguère reprochaient à la Communauté son excès de libéralisme.

La part de vérité que reflète cette campagne doit conduire les institutions communautaires, mais aussi les États et leurs représentants dans les instances du Conseil, à éviter les réglementations trop méticuleuses et à faire davantage confiance à l'application, quitte à renforcer les contrôles *a posteriori* aujourd'hui inexistants ou insuffisants. Cependant la réponse décisive se situe à un autre niveau : celui de la participation des citoyens et du renforcement du contrôle démocratique et parlementaire, aussi bien au niveau communautaire qu'au niveau national.

L'appel qu'adressent à la Communauté les peuples récemment libérés du joug soviétique fournit un autre terrain d'attaque aux adversaires de l'union européenne. Un front commun des gaullistes français, des thatchériens anglais et des nostalgiques allemands de la Mittel Europa s'est constitué pour appeler à un élargissement aussi rapide que possible. Mais à quoi servirait à ces pays d'adhérer à une Union qui aurait, pour les accueillir, renoncé à ce qui fait sa force ?

Hormis le grand débat sur la démocratie et la souveraineté, beaucoup des objections contradictoires opposées à l'union européenne ont quelque chose de dérisoire si on les rapporte à l'enjeu. Il s'agit en définitive, pour de vieux pays recrus d'histoire, comme aimait à dire de Gaulle, de déterminer s'ils demeureront ensemble maîtres de leur destin ou si, comme les cités grecques, ils s'épuiseront dans des rivalités intestines qui ne sauraient les conduire qu'à une irréversible abdication.

P

PARLEMENT

La première assemblée communautaire fut celle de la CECA* qui s'établit à Strasbourg, symbole du rapprochement franco-allemand. Elle devait y cohabiter avec l'Assemblée du Conseil de l'Europe*.

Complétée par quelques délégués supplémentaires des grands pays, l'Assemblée de la CECA reçut en 1952-1953 la mission d'établir un projet de Communauté politique qui prévoyait un Parlement à deux chambres. Ce projet fut écarté avant même le rejet de la Communauté de Défense qu'il devait accompagner.

Lors de l'élaboration des traités de Rome, il fut décidé que les deux nouvelles Communautés et la CECA auraient la même Assemblée et la même Cour de Justice.

Ainsi naquît en 1958, l'Assemblée des Communautés européennes devenue par la suite le Parlement européen. Cette désignation revendiquée par l'Assemblée fut longtemps contestée par les adversaires de l'évolution supranationale ou fédérale des institutions européennes. Elle est désormais admise et figure dans les traités depuis l'Acte unique.

Le traité de Rome avait

prévu que le Parlement serait élu au suffrage universel direct suivant une procédure électorale uniforme après une première période de désignation de délégués par les Parlements nationaux. La France qui s'était longtemps opposée à l'élection directe l'a acceptée en 1976, en contrepartie de l'institutionnalisation du Conseil européen. Les premières élections ont eu lieu en 1979 et se renouvellent depuis tous les cinq ans. Les prochaines auront lieu en 1994.

Il n'a pas été possible, jusqu'à présent, de parvenir à un accord sur une procédure uniforme. L'obstacle majeur est l'attachement des Britanniques au scrutin de circonscription uninominal et majoritaire qui présente l'avantage d'établir un lien direct entre les électeurs et les élus mais qui a le très grave inconvénient de fausser la représentation. Un seul parti peut obtenir les trois quarts des sièges avec moins de la moitié des voix, tandis qu'un parti minoritaire mais réunissant le cinquième du corps électoral peut n'avoir aucun élu. Les autres pays pratiquent tous le système proportionnel de listes, soit dans le cadre régional (Italie, Belgique), soit plus souvent dans le cadre national.

Le système de listes nationales bloquées (sans possibilité pour l'électeur de modifier l'ordre des candidats) donne en réalité aux partis politiques le pouvoir de désigner les élus, l'influence des électeurs se limitant à déterminer le nombre d'élus de chaque liste. Il a aussi le défaut d'orienter le débat électoral sur des enjeux plutôt nationaux qu'européens.

Composé de 198 membres avant l'élection directe et alors que la Communauté comptait neuf États, le Parlement compte 518 membres pour les douze États : 81 pour chacun des quatre plus grands pays (Allemagne, France, Italie, Royaume-Uni), 60 pour l'Espagne, 24 pour les Pays-Bas, la Belgique, la Grèce et le Portugal, 16 pour le Danemark et l'Irlande et 6 pour le Luxembourg.

Les Länder de l'Allemagne de l'Est sont représentés par dix-huit observateurs. L'Allemagne souhaite obtenir une augmentation officielle de sa représentation en vue des prochaines élections qui auront lieu en 1994. Il est possible qu'à cette occasion la répartition générale des sièges soit revue au profit des pays les plus peuplés, actuellement sous-représentés. En effet, l'adhésion probable de l'Autriche, de la Suède et d'autres pays de taille voisine aura pour effet d'accentuer le déséquilibre.

La représentativité du Parlement européen se pose avec d'autant plus d'acuité que ses pouvoirs sont appelés à s'accroître. Exclusivement consultatifs au départ, ils ont connu une première extension à propos du budget* que le Parlement peut désormais rejeter. Faute de voter les recettes, il a la faculté d'orienter et, dans une certaine mesure, d'augmenter les dépenses.

L'Acte unique a institué une procédure complexe dite de coopération qui, tout en laissant le dernier mot au Conseil, donne un plus grand poids à l'avis du Parlement. Ses amendements ne peuvent être écartés que par décision unanime du Conseil s'ils ont été repris par la Commission.

En outre, l'Acte unique a donné au Parlement la possibilité d'opposer son veto à de nouvelles adhésions. Le Parlement dispose ainsi désormais d'un puissant moyen de pression. Il devrait être en mesure d'obtenir que les élargissements s'accompagnent d'une communautarisation de la PESC et des affaires intérieures et judiciaires, faute de quoi le risque de dilution serait considérable.

La revendication du Parlement d'obtenir une parité de pouvoirs avec le Conseil (codécision) n'a été que partiellement satisfaite lors des accords de Maastricht*. Pour un nombre de domaines assez étendu (tout ce qui touche au Marché unique, recherche, environnement, santé, culture, éducation, consommation, grands réseaux), le Parlement a désormais la possibilité de faire obstacle, par un vote à la majorité de ses membres, à l'adoption d'une décision ne tenant pas compte de ses amendements après échec d'une procédure de conciliation.

Le Parlement aurait préféré l'adoption en termes identiques par lui-même et par le Conseil, telle qu'elle est pratiquée par les systèmes parlementaires à deux chambres, plutôt que ce qui apparaît comme un simple droit de veto sur une position définitive du Conseil.

Mais les États, ou du moins certains d'entre eux, dont la France, n'étaient pas prêts à admettre le principe d'une égalité entre Conseil et Parlement en matière législative.

Enfin la procédure nouvelle d'avis conforme est étendue

aux domaines relatifs à la citoyenneté, à la création de fonds d'aide aux régions, à l'unification de la procédure électorale, aux accords internationaux les plus importants et au choix des membres de la Commission.

Le Parlement a depuis l'origine le pouvoir de destituer la Commission par un vote à la majorité absolue de ses membres et aux deux tiers des suffrages exprimés. Si plusieurs votes de censure ont été mis aux voix, aucun n'a jusqu'à présent réuni un nombre de suffrages permettant son adoption. Alors que l'Acte unique n'avait en rien modifié le mode de désignation de la Commission, le traité de Maastricht donne au Parlement la possibilité d'exercer une réelle influence sur la composition du collège. L'avis conforme, requis à la fin de la procédure, donne en effet tout son poids à l'avis que sera appelé à donner le Parlement sur le choix préalable du président par les gouvernements.

Le rôle du Parlement a donné lieu depuis l'origine à des jugements divers. Accusé parfois de s'intéresser plus à la défense de la démocratie et des droits de l'homme aux quatre coins du monde qu'aux affaires internes de la Communauté, le Parlement s'est acquis une incontestable autorité internationale. A l'intérieur, son prestige a souffert de la technicité des textes communautaires. On a ironisé à propos des débats relatifs à la composition des préparations alimentaires en ignorant que des enjeux de protection des consommateurs étaient en cause, outre celui de la libre circulation des marchandises.

Siégeant en session plénière à Strasbourg, alors que son secrétariat est à Luxembourg et que ses commissions se réunissent à Bruxelles, le Parlement souffre de cette dispersion, de son éloignement des médias et des lieux de pouvoir. Aussi souhaiterait-il, dans sa majorité, quitter Strasbourg pour Bruxelles, ce à quoi s'opposent catégoriquement les autorités françaises. L'intérêt de l'opinion publique pour le Parlement et l'influence des parlementaires se sont accrus par suite de l'élection directe. Ils demeurent cependant limités ainsi que le révèle l'importance des abstentions lors des élections européennes, notamment en Grande-Bretagne où le nombre de votants n'a guère dépassé jusqu'à présent le tiers des inscrits.

L'influence du Parlement

dépend de l'évolution de la construction européenne. Il devrait logiquement s'accroître dès lors que l'opinion ressent ce qu'il est convenu d'appeler un « déficit démocratique » dans le système communautaire. Cependant, à mesure que s'étendent les compétences de la Communauté, une certaine rivalité s'établit entre le Parlement européen et les Parlements nationaux irrités par l'érosion de leur propre pouvoir.

La création d'une deuxième Chambre qui serait l'émanation des Parlements nationaux a parfois été proposée. Elle ferait cependant double emploi avec le Conseil qui représente les États et agit autant comme législateur que comme Exécutif.

La nécessité d'associer davantage les Parlements nationaux aux affaires communautaires a été reconnue par les accords de Maastricht. Ceux-ci ont prévu l'intensification des échanges entre les Parlements nationaux et le Parlement européen, ainsi que la transmission, par les gouvernements aux Parlements nationaux, des propositions de la Commission. En outre, il a été décidé de renouveler l'expérience des assises qui avaient réuni à Rome, en 1990, des représentants du Parlement européen et des Parlements nationaux. Cette conférence du Parlement, dont la périodicité n'a pas été arrêtée, entendra un rapport du président du Conseil européen et du président de la Commission « sur l'état de l'Union ».

Certains Parlements nationaux, en particulier au Danemark, où les positions des ministres à Bruxelles sont l'objet d'un contrôle *a priori*, au Royaume-Uni et en Allemagne, suivent de près les travaux communautaires. Il n'en est malheureusement pas de même en France malgré l'existence de « délégations » qui n'ont ni le statut, ni les moyens des commissions.

L'avenir du Parlement européen dépend de l'évolution générale des institutions* européennes. Si, conformément à la logique fédérale, le Conseil est appelé à devenir, au moins pour sa fonction législative, une Chambre des États, la composition du Parlement, appelé lui-même à devenir Chambre des peuples, devrait tenir davantage compte de la population de chaque État.

La possibilité donnée aux ressortissants des autres États de la Communauté de voter aux élections européennes soulève une autre question qui, pour être théorique, n'en est pas moins intéressante. Le Parlement est-il composé de représentants des différents peuples considérés isolément, ou d'un peuple européen en voie de constitution ?

Le débat est ouvert entre fédéralistes souhaitant l'émergence d'un peuple européen, nation de nations, et tenants de l'Europe des États pour lesquels la nation est le cadre indépassable de la démocratie*.

La capacité de l'Europe d'affirmer sa personnalité et d'exercer son influence dans les affaires du monde dépend largement de la réponse qui sera donnée à cette question. En effet, une Europe qui se bornerait à coaliser des États et non à unir des peuples, suivant la formule de Jean Monnet, ne serait guère plus qu'une alliance précaire et révocable.

PÈRES DE L'EUROPE

Jean-François Deniau, s'appuyant sur une étude du Centre européen de la culture, a dressé dans son *Europe interdite*, parue en 1977 (Seuil), un tableau des précurseurs. Les Romains ont été les premiers à concevoir et à réaliser à l'échelle du monde connu une république universelle assurant la coexistence pacifique de peuples ayant conservé leur identité et leurs institutions propres. Réalisé d'abord par la conquête, l'Empire romain devait aboutir à l'octroi à tous les hommes libres de la même citoyenneté. La nostalgie de l'unité perdue après les grandes invasions et la disparition de l'Empire allait dominer le Moyen Age. Clovis, roi de France se fera nommer consul romain. Charlemagne, en l'an 800, se fera couronner empereur d'Occident par le pape. L'Italien Dante, le Bohémien Podiebrad, les Français Sully et Bernardin de Saint-Pierre, parmi bien d'autres, proposent d'assurer la paix perpétuelle en Europe en unissant peuples et royaumes en une république universelle.

Au milieu du XIXe siècle, siècle des nationalités, Victor Hugo annonce les États-Unis d'Europe. Après les horreurs de la Première Guerre mondiale, le comte Koudenhove Kalergi appelle à l'union européenne dès 1922 et fonde en 1927 à Vienne l'Union paneuropéenne. En 1929, Aristide Briand propose devant l'assemblée de la Société des

Nations d'établir entre les peuples de l'Europe « une sorte de lien fédéral » mais « sans toucher à la souveraineté d'aucune nation ». Apparaît déjà la contradiction que nous n'avons pas encore résolue. Churchill à Zurich en 1946 parle à son tour d'États-Unis d'Europe qu'il encourage les Européens à constituer tout en indiquant que le Royaume-Uni, lié au Commonwealth, ne saurait y participer. Autre dilemme dont les Anglais sortiront difficilement. Le même Churchill préside en 1948 le congrès de la Haye entouré des Français Blum et Reynaud, de l'Italien Gasperi, du Belge Spaak, de l'Espagnol Salvador de Madariaga, du Suisse Denis de Rougemont. Les Français et les Anglais sont les plus nombreux malgré l'abstention des travaillistes, peu soucieux de siéger sous la présidence du chef de l'opposition. Adenauer dirige une délégation allemande. Parmi les parlementaires français de la nouvelle génération on compte deux futurs présidents de la République : René Coty et François Mitterrand. Du congrès de la Haye qui avait réuni près de huit cents personnalités dans une atmosphère d'enthousiasme, sortira le Conseil de l'Europe* au plan diplomatique et institutionnel et le Mouvement européen au plan du militantisme.

A partir de là, l'opinion publique commença à s'intéresser à l'idée d'union de l'Europe. Cependant la mobilisation se limite à des milieux relativement restreints. L'Europe est une idée de raison. Elle ne soulève pas les passions. Aussi n'occupe-t-elle qu'une place secondaire dans les programmes des partis politiques.

La limitation des ambitions du Conseil de l'Europe d'une part, la nécessité de régler le problème de la Ruhr d'autre part, vont conduire à la première initiative européenne, de caractère à la fois économique, fonctionnel et sectoriel mais révolutionnaire au plan institutionnel. Elle vaudra à son inspirateur, Jean Monnet, et au ministre des Affaires étrangères qui en fera son affaire, Robert Schuman, de prendre place dans l'histoire comme les plus authentiques Pères de l'Europe.

La personnalité de Jean Monnet est hors du commun. Fils d'un producteur de cognac, plutôt que de faire des études, il parcourt le monde pour vendre la production familiale. En 1914, âgé de vingt-six ans, il parvient à convaincre le président du Conseil Viviani, alors que le gouvernement s'est replié à Bordeaux, de lui confier une mission de liaison avec l'Angleterre en vue d'une organisation rationnelle du ravitaillement et de l'économie de guerre. Il s'en acquitte brillamment et devient après la guerre secrétaire général adjoint de la Société des Nations, fonction qu'il abandonne après avoir constaté l'impuissance de l'organisation.

Ses talents d'homme de contact et d'organisateur font de nouveau merveille durant le deuxième conflit mondial. Il est pour beaucoup dans le lancement par Roosevelt des programmes d'armement qui permettront la victoire des Alliés.

A Alger, il contribue au rapprochement entre de Gaulle et Giraud dont la rivalité menace un moment l'unité de la Résistance. Nommé commissaire au Plan après la Libération, il organise la reconstruction à travers des commissions où s'ouvre un dialogue inédit entre représentants de catégories sociales antagonistes. C'est là qu'il conçoit le plan de mise en commun du charbon et de l'acier sous une autorité supranationale en vue de régler le problème de la Ruhr, d'amorcer la réconciliation franco-allemande et d'incarner l'idée d'Europe unie dans une première réalisation concrète.

Robert Schuman est alors ministre des Affaires étrangères dans un gouvernement que dirige Georges Bidault. Schuman est également une personnalité hors du commun. Lorrain élevé au Luxembourg, il parle aussi bien l'allemand que le français. Austère et discret, militant d'action catholique, il fait partie des premiers parlementaires élus en 1920 par l'Alsace et la Lorraine après leur retour en France. Constamment réélu, il retourne à Metz en août 1940, après avoir fait partie de l'éphémère cabinet de Paul Reynaud et du premier gouvernement Pétain. Frappé d'indignité nationale à la Libération malgré son arrestation par les Allemands pendant l'occupation, il en est presque aussitôt relevé par le général de Gaulle. Tête de liste MRP (Mouvement républicain populaire) aux élections d'octobre 1945, il remporte un succès triomphal, sa liste obtenant cinq sièges sur six à l'Assemblée constituante. Elle en obtiendra six sur six aux élections suivantes du 2 juin 1946 après l'échec du premier projet de constitution. Ministre des Finances en 1946, président du Conseil en novembre 1947 pour quelques mois, Robert Schuman devient ministre des Affaires étrangères en juillet 1948 et le restera dans huit gouvernements successifs jusqu'à la fin de 1952.

Ses affinités avec les démocrates-chrétiens Adenauer et de Gasperi, autres Pères de l'Europe, seront pour beaucoup dans le succès de son plan de mise en commun du charbon et de l'acier et dans la création de la CECA*.

Adenauer, maire de Cologne de 1917 à 1933, un moment président de la Chambre haute de Prusse dans les années vingt, éliminé de la vie politique dès l'arrivée d'Hitler au pouvoir, fonde après la guerre l'union chrétienne démocrate (CDU). Il sera le premier chancelier de la nouvelle République fédérale de 1949 à 1963. Partisan d'une Europe intégrée au sein de laquelle l'Allemagne retrouverait sa dignité tout en demeurant protégée de toute velléité de retour au nationalisme, il accepta cependant de soutenir la vision très différente du général de Gaulle*, sans doute pour ne pas compromettre le rapprochement franco-allemand.

Alcide de Gasperi, originaire du Trentin, ancienne province autrichienne devenue italienne après la Première Guerre, de formation germanique comme Schuman et Adenauer, dirige huit gouvernements successifs de 1945 à 1953, en tant que leader de la démocratie chrétienne. La présence au même moment de chrétiens sociaux originaires de zones frontalières ayant particulièrement souffert des conflits intereuropéens a grandement contribué au succès des premières initiatives européennes, à un moment où les souvenirs de la lutte contre l'Allemagne nazie étaient encore très vifs.

Certains ont dénoncé à l'époque l'« Europe vaticane ». C'était ignorer que l'action des trois démocrates chrétiens rejoignait pour la première fois dans l'histoire de la France et de l'Europe le courant humaniste issu des Lumières et le courant socialiste pacifiste et internationaliste.

Le socialiste belge Paul-Henri Spaak doit être également rangé parmi les Pères de l'Europe communautaire. Socialiste d'extrême-gauche dans sa jeunesse, ministre des Affaires étrangères et partisan d'une politique de neutralité jusqu'à l'invasion de la Belgique en mai 1940, il rejoint Londres avec le gouvernement Pierlot. Il y négocie le futur traité du Benelux*. De nouveau chef de la diplomatie belge de 1945 à 1957, il devient un ardent promoteur de l'unification européenne. Il est le premier président de l'assemblée consultative du Conseil de l'Europe* puis de l'assemblée commune de la CECA*. Déçu par l'échec de la Communauté européenne de Défense, il joue un rôle actif dans la préparation du traité de marché commun. En 1956 et 1957, il préside le « Comité Spaak ». Les Français Robert Marjolin et Pierre Uri, l'Allemand Hans von der Groeben, sont ses principaux collaborateurs. On doit largement à cette équipe remarquable les solutions ingénieuses du traité de Rome.

Devenu secrétaire général de l'OTAN en 1957, ses convictions atlantiques et européennes amènent Paul-Henri Spaak à s'opposer au général de Gaulle*. Il contribue, avec le Hollandais Joseph Luns à l'échec du plan Fouchet, mais redevenu ministre des Affaires étrangères de 1961 à 1966, il joue un rôle modérateur lors de la crise de la chaise vide. Il se retira de la vie politique en 1966 mais prit position peu de temps avant sa mort (1972) en faveur des francophones de Bruxelles.

Un autre éminent homme d'État socialiste français, Léon Blum a sa place parmi les Pères de l'Europe. Présent au congrès de La Haye, il figura avec Winston Churchill, Paul-Henri Spaak et Alcide de Gasperi, parmi les présidents d'honneur du Mouvement européen constitué à Bruxelles le 25 octobre 1948. Le Mouvement européen réussit alors à rassembler toutes les tendances unionistes et fédéralistes, libérales et socialistes. Il s'organisa en conseils nationaux, eux-mêmes ouverts aux diverses tendances. En France, seuls communistes et gaullistes se tinrent à l'écart du Mouvement européen.

POLITIQUE COMMERCIALE

On entend par politique commerciale les règles qui déterminent les relations commerciales avec les pays tiers. Le marché commun étant d'abord une union douanière, la politique commerciale porte en premier lieu sur les droits de douane. Le tarif extérieur commun qui caractérise les unions douanières, par opposition aux zones de libre-échange dont les participants demeurent maîtres de leurs tarifs extérieurs, doit être négocié avec les pays tiers au sein du GATT*. Par la suite, la Communauté a participé à plusieurs cycles de négociations multilatérales baptisées en fonction de leur initiateur (Dillon round, Kennedy round, Nixon round) ou du lieu où elles avaient été engagées (Tokyo round, Uruguay round). Jusqu'au Tokyo round, l'objet des négociations était essentiellement la réduction mutuellement consentie des tarifs douaniers entre les pays du monde développé. Le Tokyo round et plus encore l'Uruguay round qui n'est pas encore parvenu à sa conclusion avaient des objectifs plus ambitieux. Les négociations se sont étendues au secteur des services, ont impliqué davantage les pays en développement, notamment les nouveaux pays industriels, et ont achoppé en 1991 sur l'agriculture.

En effet un conflit de doctrine et d'intérêts oppose dans ce domaine Européens et Américains. Les États-Unis, dont la compétitivité industrielle est affaiblie et qui souffrent depuis longtemps d'un lourd déficit commercial, s'efforcent d'exploiter l'avantage naturel de leur immense espace agricole et de développer leurs débouchés. Pour ce faire, ils s'attaquent aux subventions par lesquelles la Communauté soutient ses propres exportations (voir Agriculture*). Invoquant le principe de libre-échange qui est le fondement du GATT, les États-Unis réclament la suppression complète ou tout au moins une très forte réduction des subventions à l'exportation. Les Européens répliquent en demandant que soient prises en compte dans la négociation toutes les formes de soutien dont bénéficient les agriculteurs. Calculées par agriculteur, les aides dont bénéficient les fermiers américains, notamment en ce qui concerne les équipements d'irrigation, sont supérieures à celles que la Communauté accorde à ses propres agriculteurs. En outre, les Européens souhaitent étendre la protection communautaire aux produits servant à l'alimentation du bétail, de manière à freiner les importations de produits se substituant, pour cet usage, aux céréales européennes.

Ces conflits d'intérêt s'accompagnent d'un conflit de doctrine entre partisans et adversaires d'une extension aussi complète que possible du libre-échange aux produits agricoles. En faveur de la première thèse, on invoque la nécessité d'une adaptation de l'offre à la demande solvable, en sus des besoins d'aide alimentaire, et le risque que l'accumulation de stocks subventionnés fait peser sur les finances publiques et l'équilibre des marchés. En faveur de la seconde, on fait observer les conditions très particulières de la production agricole qui dépend des conditions atmosphériques imprévisibles et qui a comme sous-produit ou comme conséquence l'entretien ou la dégradation des milieux naturels et du paysage.

Cependant la politique commerciale ne se réduit pas aux négociations du GATT ni aux droits de douane. Elle comprend aussi des mesures de défense commerciale, en particulier celles qui ont pour objet de faire face au dumping, pratique qui consiste à vendre les mêmes produits à des prix inférieurs à ceux du marché intérieur.

La nécessité de donner un délai d'adaptation à l'industrie textile menacée par la concurrence des pays à bas salaires a conduit la Communauté à négocier, dans le cadre du GATT, des accords dits multifibres qui imposent des restrictions quantitatives aux importations textiles en provenance de ces pays. Le renouvellement de ces accords, qui datent de plus de vingt ans et qui arrivent à expiration en 1992, n'est pas assuré. Il paraît difficilement justifiable, au moins à l'égard des pays pauvres — catégorie dans laquelle il convient désormais de ranger les pays d'Europe centrale et orientale — qui ne disposent d'aucun autre avantage dans la compétition internationale, que le coût peu élevé de leur main-d'œuvre. (Voir Tiers monde*.)

Ce sont cependant les relations avec le Japon qui donnent lieu aux plus vives controverses entre défenseurs du libre-échange et tenants du protectionnisme. La Communauté a conclu en 1991 un accord avec le Japon concernant l'élargissement progressif des contingents d'importation de voitures que certains États membres, France, Italie, Espagne, maintiennent à l'égard de ce pays. Cet accord, qui leur octroie un délai d'adaptation d'une dizaine d'années, a été généralement accepté par les constructeurs européens. Il est cependant violemment contesté par Jacques Calvet, président de Peugeot. Un des points les plus controversés est la prise en compte, dans le contingent, des voitures de marque japonaise assemblées en Europe. La Grande-Bretagne qui accueille volontiers les producteurs japonais exige en effet que les voitures assemblées dans les usines britanniques soient considérées comme d'origine communautaire (voir Industrie*).

Dans la perspective de l'union européenne, la politique commerciale commune devrait logiquement s'étendre à tous les aspects des relations économiques internationales, à commencer par les conditions de crédit à l'exportation. La Communauté se heurte dans ce domaine à la résistance des États qui répugnent à confier leurs intérêts à des organismes communs, notamment dans le domaine essentiel des prêts et des garanties de crédit.

POLITIQUE SOCIALE

Les Communautés européennes ont mené depuis l'origine une politique sociale active. Ainsi la CECA* a contribué, dans les années qui ont suivi sa création, à l'amélioration de la sécurité dans les mines de charbon et de fer ainsi qu'à la reconversion des mineurs et des sidérurgistes affectés par les réductions d'emploi ainsi que plus tard par le déplacement des installations sidérurgiques vers les ports (Fos et Dunkerque pour la France). La mise en œuvre du marché commun s'est faite ensuite avec le soutien et la participation des organisations syndicales, de tendance socialiste ou chrétienne. Les deux internationales syndicales non communistes ont fusionné en 1973 et ont constitué la Confédération européenne des syndicats (CES) à laquelle adhèrent tous les syndicats français à l'exception de la CGT, toujours liée à la Fédération syndicale mondiale d'obédience communiste. De même, le Comité des organisations professionnelles agricoles (COPA) a été étroitement associé à la mise en œuvre de la politique agricole commune.

Mise à part l'égalité des salaires masculins et féminins pour un travail égal, dont le principe a été inscrit dans le traité de Rome à la demande de la France, le marché commun n'implique, contrairement à une opinion répandue, aucune harmonisation des coûts de main-d'œuvre (salaires directs et charges sociales). Il est conforme aux principes d'une économie de marché que ces coûts s'établissent à un niveau correspondant à celui de la productivité des diverses économies nationales. De même, chaque État reste maître de déterminer la part relative des salaires directs et des charges sociales dont les modalités de financement relèvent également de la compétence de chaque État. Cependant, on peut s'attendre à la longue à un certain alignement vers le haut du coût de la main-d'œuvre et du niveau des rémunérations. La politique de cohésion économique et sociale doit y contribuer, dès lors que son objet est de faciliter le comblement des écarts de développement. Un alignement prématuré aurait pour effet de créer un handicap de concurrence au détriment des pays moins avancés et serait un facteur de sous-emploi.

Indépendamment de la contribution à la croissance et à l'emploi, qui résulte de la mise en œuvre du marché commun relayée par celle du marché unique*, la Communauté offre aux travailleurs des États membres la possibilité de circuler sur l'ensemble de son territoire, de s'y former et d'y chercher un emploi sans perdre les acquis sociaux du pays d'origine. Ces facilités ne concernent pas les seuls travailleurs salariés. En bénéficient également ou vont en bénéficier les prestataires de service, ainsi que les professions médicales et juridiques. Le libre établissement des médecins remonte à 1975 sans qu'il ait provoqué les perturbations redoutées. Il s'étend aujourd'hui aux avocats et conseils juridiques dont le statut vient d'être harmonisé. Il s'étendra demain aux fonctionnaires n'exerçant pas des fonctions de souveraineté, par exemple le personnel hospitalier, les enseignants, les agents des services publics de transport. Il ne faut cependant pas s'attendre à d'importants mouvements de population d'un État membre à l'autre. Les Européens sont généralement attachés à leur pays d'origine et rares sont ceux qui s'expatrient.

En revanche, la Communauté exerce une attraction sans cesse croissante sur ses voisins beaucoup plus pauvres de l'Est et du Sud. De nombreux travailleurs venant du Maghreb, de Yougoslavie, de Turquie, ou des anciennes colonies anglaises, françaises ou néerlandaises se sont établis dans la Communauté au cours de la période d'expansion rapide et de pénurie de main-d'œuvre. L'Italie elle-même, longtemps pays d'émigration subit désormais la pression des migrants d'Afrique du Nord. Les États membres ont peu à peu tenté, avec plus ou moins de succès, de contrôler ces flux migratoires, tâche rendue difficile par l'impossibilité de distinguer un immigrant indésirable d'un touriste désiré, lors de l'arrivée dans le pays.

La suppression des contrôles aux frontières prévue au 1er janvier 1993 ne pourra être réalisée et maintenue si les États ne parviennent pas à harmoniser leurs politiques d'immigration et surtout à assurer un contrôle effectif de la frontière extérieure. La faiblesse du contenu du traité de Maastricht* dans ce domaine ne permet guère l'optimisme.

Jamais avant le Conseil européen de Maastricht la politique sociale n'était apparue comme un enjeu majeur des débats communautaires. On savait cependant, depuis plusieurs années, qu'existait dans ce domaine un profond divorce entre les conceptions communes aux sociaux-démocrates, aux chrétiens-sociaux et à de nombreux libéraux, largement majoritaires sur le continent, et celles des conservateurs britanniques devenues plus doctrinairement libérales sous l'influence de Mme Thatcher.

Ce divorce était apparu au cours des négociations qui devaient conduire à l'Acte unique*. Pour Jacques Delors, attaché de longue date au dialogue social, le grand marché intérieur ne se concevait pas sans une dimension sociale, comportant à la fois des garanties minimales pour les travailleurs salariés et l'établissement de relations organisées au niveau communautaire entre partenaires sociaux. Il réussit non sans peine, avec l'appui de François Mitterrand, qui avait demandé la mise en place d'un « espace social européen », à obtenir dans l'Acte unique la possibilité pour le Conseil d'arrêter, à la majorité qualifiée, « les prescriptions minimales applicables progressivement, compte tenu des conditions et réglementations techniques existant dans chacun des États membres ». Ceux-ci conservaient le droit d'établir une protection renforcée des conditions de travail. Enfin, le développement d'un « dialogue social au niveau européen, pouvant déboucher sur des relations conventionnelles », était expressément prévu dans l'Acte unique.

A la suite de ces dispositions, un projet de charte sociale a été élaboré avec le soutien des organisations syndicales et adopté, en décembre 1989, malgré l'opposition du Royaume-Uni*. La charte énonce douze principes relatifs aux droits des travailleurs et à leur protection dans différents domaines.

Les efforts tentés depuis lors par la Commission pour la mise en œuvre effective de ces principes s'est heurtée au veto britannique, sauf en ce qui concerne la santé et la sécurité sur le lieu de travail, seul domaine où s'appliquait le vote majoritaire.

Le désaccord entre le Royaume-Uni et ses partenaires dans ce domaine est apparu en pleine lumière lors du Conseil européen de Maastricht. L'intransigeance du Premier ministre Major s'explique par le souvenir des abus auxquels avait conduit l'excès de puissance des syndicats britanniques au cours des années soixante-dix. Ainsi, l'aile droite conservatrice avait la ferme volonté de ne pas laisser la Communauté remettre en cause les acquis de l'ère Thatcher.

En revanche, plusieurs États membres, dont la France, avaient la ferme volonté d'inscrire dans le traité de Maastricht un chapitre social ayant un contenu réel et permettant la mise en œuvre effective de la charte de 1989. Il ne fut possible de sortir de cette impasse et d'éviter l'échec de la conférence qu'en recourant à la formule inédite d'une politique sociale menée à Onze avec l'accord des Douze.

Ceci a été rendu possible par l'adoption de deux protocoles. Le premier, approuvé par les Douze, constate le désaccord et autorise les Onze « à faire recours aux institutions ». La nouvelle majorité qualifiée est de 44 voix sur 66 au lieu de 54 sur 76.

Les conditions de travail, l'information et la consultation des travailleurs, l'égalité entre hommes et femmes, l'intégration des exclus relèvent désormais de la majorité qualifiée et de la procédure de coopération du Parlement (mais non de la codécision). La protection sociale, la représentation des travailleurs, les conditions d'emploi des immigrés venant des pays tiers, le financement des actions visant à créer des emplois relèvent de l'unanimité et de la simple consultation du Parlement. Les rémunérations, le droit syndical, le droit de grève et de *lock-out* sont expressément exclus de la compétence communautaire.

Enfin, les accords collectifs entre partenaires sociaux sont reconnus ainsi que le souhaitaient la Confédération européenne des syndicats et la Confédération patronale UNICE (Union des industries de la Communauté européenne). Les deux organisations étaient parvenues à un accord peu avant Maastricht sans que les représentants britanniques s'y soient opposés. Il est prévu qu'avant toute initiative la Commission consultera les partenaires sociaux afin de déterminer si un accord contractuel peut régler le problème. A l'inverse, la Communauté pourra transposer en directives européennes le contenu des accords contractuels si tel est le souhait des partenaires sociaux.

Il est difficile de prévoir l'avenir de ce dialogue social à l'échelle communautaire. Peut-être s'établira-t-il d'abord au sein des groupes multinationaux. Il serait favorisé par l'adoption d'un statut de société européenne comportant des formules optionnelles de représentation des salariés (voir Industrie*).

C'est cependant la lutte contre le chômage, même si elle relève plus de la politique économique et de la formation professionnelle que de la politique sociale, qui constitue le problème social le plus sérieux des sociétés européennes. Malgré la création de plusieurs millions d'emplois à laquelle la perspective du marché unique a largement contribué, la Communauté comptait encore en 1990 un taux de chômage supérieur à 8 %. Ce taux s'est élevé depuis sous l'effet de la récession américaine, de l'effondrement de l'économie ex-soviétique et de la guerre du Golfe. Le chômage frappe différemment les États membres sans qu'on puisse établir une corrélation avec leur niveau de développement. Tandis que l'Espagne et l'Irlande accusent des chiffres très supérieurs à la moyenne communautaire, le Portugal connaît une situation de quasi plein-emploi. En Allemagne, le contraste est considérable entre la partie orientale, où l'élimination des entreprises improductives n'est pas encore compensée par les investissements neufs, et l'ancienne RFA où la situation de l'emploi demeure, malgré une dégradation récente, supérieure à la moyenne communautaire. La France, avec un chômage de près de 10 % de sa population active, continue à souffrir d'un retard d'investissement au cours des premières années de la décennie 80, de rigidités structurelles diverses et de la profonde inadaptation de son système éducatif.

Le Fonds social européen dont la création remonte à 1960 fait partie des fonds structurels. Il contribue avec les autres fonds (FEOGA, FEDER) au financement de différents programmes d'ajustement structurel, de reconversion, de lutte contre le chômage de longue durée et d'insertion professionnelle.

Le débat demeure ouvert entre ceux qui attendent la solution du problème du chômage, du retour à une croissance plus forte et d'une formation professionnelle mieux adaptée et ceux qui souhaiteraient une politique plus volontaire de réduction de la durée du travail et d'extension du travail à temps partiel. Dans ces deux domaines, le dialogue social européen pourrait conduire à des progrès, à la condition que les partenaires sociaux acceptent de tenir compte de la capacité des différents pays et des différents secteurs économiques à supporter une réduction de la durée du travail.

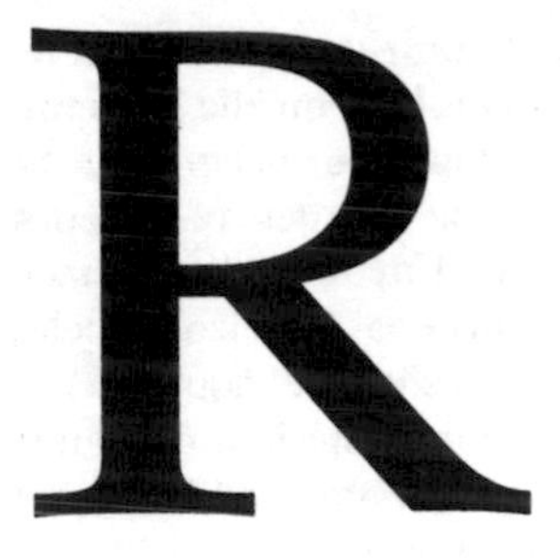

RECHERCHE

L'action communautaire pour le développement de la recherche scientifique et son application à l'industrie a longtemps souffert des difficultés rencontrées par l'Euratom*.

Elle n'a réellement pris son essor qu'à la fin des années soixante lorsqu'a été réalisée la fusion des institutions* et surtout lorsque les Européens ont pris conscience de leur retard dans les technologies d'avenir, notamment celles de l'électronique et de l'informatique.

Un comité pour la recherche scientifique et technique (PREST) a été constitué, bientôt complété par un club de coopération scientifique et technique (COST) ouvert aux pays tiers de l'AELE ainsi qu'à la Turquie et à la Yougoslavie.

Il a cependant fallu attendre le milieu de la décennie quatre-vingt pour que soient lancés quelques grands programmes connus par leurs sigles : ESPRIT (European Strategic Programme for Research and Development in Information Technology) pour l'électronique et l'informatique, BRITE pour l'utilisation de procédés nouveaux dans les industries traditionnelles, EURAM pour les recherches sur les matériaux, RACE pour les télécommunications, SPRINT pour la diffusion des innovations.

A peu près en même temps, la France, en réponse au lancement spectaculaire de l'Initiative de défense stratégique du président Reagan, plus connue sous le nom de « guerre des étoiles », proposait et faisait adopter le programme EUREKA ouvert à tous les pays d'Europe et orienté vers les applications industrielles. A la différence des programmes communautaires, les projets EUREKA relevaient de l'initiative des entreprises qui s'engageaient dans des coopérations transfrontières. Les États pouvaient, tout comme la Communauté, consentir ou non des financements publics ou se borner à labelliser les projets.

Ces différentes initiatives ont abouti à d'incontestables succès mais elles sont loin d'avoir suffi à relever un défi qui vient aujourd'hui tout autant sinon davantage du Japon que des États-Unis.

Plus récemment a été lancé le programme de télévision à haute définition qui a précisément pour but de permettre à l'Europe d'échapper à la menace d'une domination japonaise dans l'ensemble du secteur audiovisuel.

Cependant, la norme curieusement baptisée D 2 MAC n'est pas encore unanimement acceptée, bien qu'elle présente l'avantage de permettre la réception sur les récepteurs actuels. Une nouvelle menace se profile à l'horizon : celle d'une technique nouvelle de télévision numérique qui pourrait faire l'objet d'un accord nippo-américain.

Enfin, malgré quelques coopérations dans les domaines de la lutte contre le cancer (centre de Lyon) et le sida, la recherche médicale, biologique et génétique, dont l'importance est cependant capitale pour la santé publique, l'industrie pharmaceutique, l'agriculture et l'environnement, n'occupent qu'une place modeste dans les programmes communautaires.

Le plus récent programme-cadre qui regroupe l'ensemble des actions communautaires de recherche et de développement technologique a été adopté fin 1989 et couvre les années 1990 à 1994. Il s'élève à 5,7 milliards d'écus ainsi répartis :

	millions
- information et communications	2221
- technologies industrielles et matériaux	888
- environnement	518
- sciences et technologie du vivant	741

- énergie (y compris fusion thermonucléaire contrôlée : voir Euratom*) 814
- capital humain et mobilité 518

TOTAL : 5 700

Au niveau industriel, les succès européens les plus emblématiques, Airbus et Ariane, n'ont pas fait l'objet de programmes communautaires. En tirer la conclusion, comme le font certains, qu'ils ne doivent rien à la Communauté est inexact car ils n'auraient pu se développer sans l'existence du cadre général du Marché commun. Ils apportent cependant la démonstration que le succès industriel et commercial passe par l'organisation d'équipes plurinationales formées aux méthodes modernes de gestion et libérées des contraintes diplomatiques et bureaucratiques.

De ce point de vue, l'ouverture effective des marchés publics, y compris d'armements, l'harmonisation des normes techniques et la suppression des obstacles qui s'opposent encore à la constitution d'entreprises véritablement européennes sont, au même titre que la mise en commun des crédits publics, la condition d'un plein succès des efforts européens.

ROYAUME-UNI

Le Royaume-Uni de Grande-Bretagne (Angleterre, Écosse, pays de Galles) et d'Irlande du Nord occupe une place à part en Europe et dans la construction européenne. La résistance héroïque que les Britanniques ont opposée à Hitler en 1940, alors que la France s'était effondrée, lui vaut un grand prestige dans les années d'après-guerre et l'illusion que l'Angleterre demeure une grande puissance impériale. L'insularisme et l'ancienneté des traditions parlementaires portent les Britanniques à considérer avec condescendance les affaires du continent. Churchill, préoccupé par la montée de la puissance soviétique, appelle les Européens à s'unir tout en précisant que son pays, du fait de ses liens avec le Commonwealth, ne pourrait être partie prenante de l'union.

Le même Churchill préside le congrès réuni à La Haye en mai 1948 d'où sortira le Mouvement européen et le Conseil de l'Europe*. Mais la diplomatie britannique s'opposera à l'octroi de pouvoirs réels à l'assemblée de Strasbourg.

Lorsqu'un peu plus tard, en mai 1950, Jean Monnet et Robert Schuman lancent le premier projet communautaire, ils s'efforcent en vain d'obtenir la participation britannique. De même, tout en soutenant le projet de communauté de défense négocié en 1951-1952, le Royaume-Uni refuse d'y participer. Son abstention sera pour beaucoup dans les hésitations de Mendès-France et le rejet du projet par l'Assemblée nationale en août 1954. Après la relance de Messine, les Britanniques participent à la première phase des négociations qui aboutiront à la création du marché commun* et de l'Euratom*. Cependant, sceptiques sur les chances de succès de ces projets, ils abandonnent vite la table des négociations et s'emploient, au sein de l'OECE, à noyer le Marché commun dans une grande zone de libre échange.

Il s'agissait pour les Britanniques d'éviter l'effet de discrimination résultant de la création d'une union douanière à laquelle ils se refusaient à participer. La négociation menée par le ministre Reginald Maudling échoua face à l'opposition résolue de la France soutenue par l'Allemagne. Les États-Unis qui soutenaient le marché commun pour des raisons politiques et n'avaient pas intérêt à la création d'une vaste zone de libre échange européenne à laquelle ils ne pouvaient prétendre participer, n'apportèrent pas aux Britanniques l'appui escompté. La zone de libre échange se limita aux pays d'Europe occidentale ou nordique qui ne voulaient ou ne pouvaient adhérer aux nouvelles communautés.

Le succès du marché commun ayant pleinement répondu aux espoirs de ses promoteurs conduisit le gouvernement britannique, alors dirigé par Harold Macmillan, à réviser sa position. En 1961, le Royaume-Uni, suivi par le Danemark, l'Irlande et la Norvège, posa sa candidature à l'adhésion aux trois communautés.

Les négociations, conduites du côté britannique par le futur Premier ministre Edward Heath, furent laborieuses. La délégation du Royaume-Uni multiplia les demandes de dérogations aux principes du marché commun, principalement pour garantir le maintien des échanges avec le Commonwealth et pour limiter les conséquences budgétaires de la politique agricole commune alors en cours d'élaboration ainsi que ses conséquences sur le prix de l'alimentation traditionnellement bas en Grande-Bretagne.

Le général de Gaulle*, qui redoutait à la fois une perte d'influence de la France dans une Communauté élargie au Royaume-Uni et que celui-ci ne soit en quelque sorte un cheval de Troie des États-Unis, mit abruptement fin à la négociation en janvier 1963.

La crise qui en résulta entre la France* et ses partenaires fut de courte durée mais ceux-ci utilisèrent le cadre de l'UEO* pour maintenir le contact avec les Britanniques. Une nouvelle candidature fut présentée en 1967 par le gouvernement travailliste d'Harold Wilson, mais il fallut attendre le départ du général de Gaulle et le retour au pouvoir des conservateurs pour que la négociation s'engage. Les bons rapports établis entre le Premier ministre Heath et le président Pompidou en facilitèrent l'aboutissement.

Le Royaume-Uni devint membre des Communautés le 1er janvier 1973 en même temps que le Danemark et l'Irlande. Cependant le problème britannique n'était pas réglé pour autant. On trouvera à la rubrique « élargissement » un bref exposé du contentieux budgétaire soulevé d'abord par Wilson, revenu au 10 Downing Street, et plus tard avec plus de virulence par Mme Thatcher. Le contentieux ne fut clos qu'en 1984 lors du Conseil européen de Fontainebleau.

Si l'on considère maintenant l'attitude des Britanniques à l'égard de la construction européenne, on doit s'efforcer à un jugement équitable et nuancé.

Il faut tout d'abord comprendre l'allergie insurmontable des Britanniques devant toute construction institutionnelle qui ne résulte pas de la tradition et d'un long usage. Ainsi le Royaume est-il passé de la féodalité à la démocratie sans avoir jamais éprouvé le besoin de se doter d'une constitution écrite.

Les souvenirs glorieux de la guerre et de l'empire, une décolonisation finalement moins douloureuse que celle de la France, des rapports demeurés étroits avec les cousins d'Outre-Atlantique expliquent aussi les réticences du peuple anglais face à l'Europe.

Cependant ces réticences se sont atténuées à mesure que le commerce s'est réorienté vers le continent. Elles n'ont pas empêché le succès du référendum décidé par Wilson après la « renégociation » de la demande d'adhésion en 1975. Aujourd'hui une large majorité de l'opinion britannique considère que l'appartenance à la Communauté* est une bonne chose pour le Royaume. Mais la monnaie commune, la défense commune, et plus encore la perspective fédérale sont largement rejetées.

Enfin, il est juste de signaler que les autorités britanniques se conforment avec plus de ponctualité que beaucoup d'autres aux règlements et directives de la Communauté ainsi qu'aux arrêts de la Cour de Justice*. Aussi bien est-ce le Royaume-Uni qui a été à l'origine de la création de sanctions à l'encontre des États qui demeureraient durablement en infraction.

A Maastricht*, M. Major a choisi de s'isoler en refusant tout engagement sur la monnaie commune ainsi qu'en matière de politique sociale*. Il est probable qu'en cas de succès de l'union monétaire la Grande-Bretagne s'y ralliera tout comme Mme Thatcher avait fini par se rallier à un SME qu'elle avait longtemps combattu. De même, en cas de succès travailliste aux élections du printemps 1992, le ralliement à l'Europe sociale sera d'autant plus immédiat que le Labour a évolué au cours des dernières années vers des positions plus européennes.

La véritable incertitude concerne la politique étrangère et de défense, autrement dit le partage de la souveraineté. Mais ce débat ne concerne pas le seul Royaume-Uni.

S

SCHENGEN

La réalisation d'un espace sans frontières intérieures pose inévitablement le problème de la création d'un espace judiciaire européen et d'une police commune. Dès juin 1985, plusieurs mois avant la conclusion des négociations sur l'Acte unique, était conclu dans la petite localité luxembourgeoise de Schengen un accord entre la France*, l'Allemagne* et les trois pays du Benelux* en vue de la suppression graduelle des contrôles aux frontières de ces cinq pays. L'Italie*, d'abord, l'Espagne* et le Portugal ensuite, devaient se joindre au groupe initial.

Parallèlement une coopération policière était organisée à Douze, en vue de la lutte contre le terrorisme et contre la grande délinquance, notamment en matière de trafic de stupéfiants. Cette coopération policière s'est dotée d'un sigle qui évoque une fontaine de Rome : TREVI (terrorisme, radicalisme, extrémisme et violence internationale).

Dès lors s'engageait une course entre l'organisation d'une coopération intergouvernementale conduite dans le secret et sans contrôle des Parlements et les efforts de la

Commission, plus ou moins soutenue par l'Allemagne et les Pays-Bas, en vue de l'extension des compétences communautaires. Le chancelier Kohl s'était depuis longtemps prononcé en faveur de la mise sur pied d'une « police fédérale européenne ».

Le problème était délicat. Les affaires d'immigration et de sécurité soulèvent aisément les passions. La Communauté n'a eu jusqu'à présent aucune compétence dans ces domaines et manque par conséquent d'une expérience et d'un savoir-faire. La résistance britannique à toute procédure contraignante était très forte. La France elle-même, contrairement à l'Allemagne, ne souhaitait pas une communautarisation immédiate qui aurait impliqué l'octroi de pouvoirs au Parlement* et le contrôle de la Cour de Justice*.

Même en ce qui concerne l'octroi des visas pour courts séjours, où de toute évidence une politique commune s'impose, c'est seulement en présence de situations d'urgence que des décisions pourront être prises à la majorité qualifiée. La liste des pays tiers dont les ressortissants seront soumis au visa sera établie sur proposition de la Commission à l'unanimité jusqu'au 1er janvier 1996, ensuite à la majorité qualifiée.

Les Douze ont cependant donné, dans la partie du traité de Maastricht* relative aux « affaires intérieures et judiciaires », une liste de neuf domaines considérés comme « des questions d'intérêt commun » :

1. la politique d'asile ;
2. les règles relatives au franchissement des frontières extérieures ;
3. la politique d'immigration, y compris la lutte contre l'immigration et le travail clandestins ;
4. la lutte contre la toxicomanie ;
5. la lutte contre la fraude internationale ;
6. la coopération judiciaire en matière civile ;
7. la coopération judiciaire en matière pénale ;
8. la coopération douanière en matière de lutte contre la criminalité internationale ;
9. la coopération policière.

Une distinction discutable a été établie entre les six premiers domaines, sans doute jugés moins sensibles, et les trois derniers. Dans les six premiers domaines la Commission dispose du droit d'initiative et l'on envisage la possibilité d'une procédure de vote à la majorité qualifiée à partir de 1996. *A contrario*, la coopération judiciaire en matière pénale, et celle des douanes et de la police dans la lutte contre la criminalité internationale, semblent devoir échapper durablement à tout processus de décision efficace.

L'Allemagne a cependant obtenu la création d'un office européen de police (Europol).

L'extrême prudence du traité de Maastricht en ces matières ne va pas sans inconvénients pour les gouvernements. L'absence de transparence de leur coopération dans un domaine qui touche de près aux libertés et à la sécurité publique soulève des critiques de plus en plus vives, y compris de la part du Parlement français. Une convention d'application des accords de Schengen, instituant un comité exécutif, un fichier informatisé et fixant dans le détail les procédures de contrôle à appliquer aux voyageurs venant des pays tiers, est en cours de ratification. Sa mise en œuvre qui répond à une évidente nécessité se heurterait à moins d'objections si la coopération policière et judiciaire des États signataires s'inscrivait dans le cadre communautaire.

Un rapport récemment établi par le Sénat français après une enquête approfondie met en lumière les conditions préalables à réunir pour permettre l'application de la convention déjà ratifiée par la France. On relève parmi ces conditions l'harmonisation des législations nationales en matière de drogue, qui impliquerait plus de rigueur en Espagne et aux Pays-Bas, la modification du droit d'asile, trop largement ouvert en Allemagne, la création d'une législation protégeant les données à caractère personnel dans les pays qui n'en disposent pas, enfin la création de brigades mixtes aux frontières.

Très judicieusement, le rapport du Sénat évoquant les documents préparatoires aux accords de Maastricht observe que ceux-ci n'abordent pas l'essentiel : « la création d'un espace judiciaire européen préalable à la création d'une police européenne. »

TIERS MONDE

Les Européens de la Communauté* sont parmi l'ensemble des pays développés ceux qui ont le plus de motifs de s'intéresser aux problèmes du tiers monde. Tout d'abord beaucoup de pays d'Afrique, d'Amérique latine et d'Asie sont d'anciennes colonies ou dépendances des États européens. Sans remonter aux atrocités des conquistadors ou aux horreurs de la « traite des nègres », il en résulte une responsabilité historique pour les Européens.

En second lieu, et du fait même de la colonisation, les Européens prétendent mieux connaître et mieux comprendre ces peuples que ne le feraient Américains ou Japonais. Quoi qu'il en soit de cette appréciation subjective, c'est un fait que les pays du tiers monde attendent beaucoup de l'Europe. L'effondrement de l'Union soviétique fait de l'Europe le seul partenaire, avec le Japon, qui leur permette d'échapper à une relation trop exclusive avec les États-Unis.

En troisième lieu, l'Europe dépend plus que les États-Unis, mais sans doute un peu moins que le Japon, des pays du tiers monde pour son approvisionnement en énergie et en matières premières.

A ces trois motifs s'en ajoute aujourd'hui un quatrième qui l'emporte en importance sur les trois premiers. La solution des défis globaux, qui menacent à plus ou moins long terme l'équilibre planétaire et la survie de la civilisation humaine, suppose un ordre mondial qui ne saurait exclure les deux tiers des humains.

Menaces écologiques sur le climat et le niveau des océans, prolifération des armes atomiques, chimiques et bactériologiques, montée des vagues ethnicistes et intégristes, explosion du sida, menaces de déferlements migratoires à partir de pays à démographie galopante sont autant d'éléments du présent désordre mondial. En revanche, l'effondrement des idéologies anti-humanistes, anti-démocratiques et anti-occidentales offre des possibilités de dialogue qui n'existaient pas auparavant. Il appartient à l'Europe de saisir cette opportunité et de résister à la tentation de limiter son intérêt aux régions du tiers monde qui ont déjà réussi ou amorcé leur décollage : Asie du Sud-Est, Brésil, Vénézuela, Mexique.

Enfin, l'Europe par sa géographie ne peut se désintéresser de l'Afrique et du Moyen-Orient qui sont à sa porte, pas plus qu'elle ne saurait se désintéresser de la partie orientale de son propre continent (voir Élargissement*).

La Communauté a en effet établi des relations privilégiées avec les pays d'Afrique et du Moyen-Orient. Beaucoup de pays africains se sont trouvés associés au marché commun en 1958 avant leur accession à l'indépendance. Ils ont confirmé cette association dans plusieurs conventions multilatérales signées à Yaoundé, capitale du Cameroun, puis à partir de 1975 à Lomé, capitale du Togo, formant avec quelques pays, pour la plupart insulaires, des Caraïbes et du Pacifique, le groupe des ACP. Ces conventions leur ont assuré des débouchés pour leurs produits en Europe ainsi qu'une aide financière substantielle dont une partie destinée à compenser la fluctuation en baisse des prix de leurs produits agricoles ou de leurs minerais.

Force est de constater qu'à de rares exceptions près, ces conventions n'ont pas permis d'assurer le décollage des pays bénéficiaires. Les responsabilités sont partagées. Le plus grand tort des Européens a été sans doute de soutenir des régimes tyranniques et corrompus, sans toujours veiller à ce que l'aide profite aux populations. Une lourde responsabilité pèse en particulier sur les entreprises et les banques qui ont vendu aux Africains une véritable collection de « moutons à cinq pattes » en usant de la corruption. Les gouvernements ont eu eux-mêmes le tort de garantir les crédits consentis pour ces opérations et d'alimenter le commerce des armes.

Dans l'ensemble des erreurs commises, la Communauté a eu moins de part que les États mais l'efficacité de son action a été ruinée par le désordre général. Les relations avec l'Afrique du Nord, notamment avec l'Algérie, n'ont pas échappé au schéma précédent mais ici plus encore qu'en Afrique sub-saharienne, les responsabilités sont d'abord celles de la France. Il appartient aujourd'hui à la Communauté de contribuer au développement des pays du Maghreb tout comme à celui de la Turquie et de l'Égypte par un mélange d'aide financière et d'ouverture commerciale. Le plus difficile sera de convaincre les industries de main-d'œuvre qui subsistent en Europe et leurs salariés. Le choix est cependant clair : accepter le départ des usines vers le Sud ou accepter la montée des chômeurs du Sud vers le Nord. Difficile à tenir aujourd'hui, ce discours s'imposera sitôt la croissance revenue.

La difficulté sera d'autant plus grande que l'Europe devra simultanément assumer de lourdes responsabilités à l'égard des nouvelles démocraties de l'Est. Le problème pourrait paraître insoluble si l'on oubliait l'un des enseignements majeurs de Jean Monnet et de l'expérience communautaire. L'intégration, la solidarité au-delà des frontières, n'est pas un jeu à somme nulle, c'est un excellent placement à long terme. De même qu'après la Deuxième Guerre mondiale les États-Unis ont bien servi leurs intérêts à long terme en aidant l'Europe à se relever, de même la Communauté* ferait un excellent investissement en favorisant l'émergence de clients solvables à l'Est, autour de la Méditerranée et au-delà. Mais cette logique ne vaudra que si nous parvenons à convaincre nos partenaires de s'organiser pour tirer un réel profit de nos crédits et de nos marchés. La première condition est sans doute un accroissement massif des aides à l'agriculture, généralement sacrifiée par des gouvernements dépendant de clientèles urbaines, et un effort massif de formation sur place de cadres moyens.

Reste aux Européens à se garder d'une forme particulièrement perverse de condescendance à l'égard des pays du tiers monde : celle qui consiste à n'attribuer qu'à l'Occident la responsabilité de leur situation, celle aussi qui consiste à ne pas réagir avec la vigueur qui s'impose lorsque leurs dirigeants se font les complices du terrorisme ou les bourreaux de leur propre peuple.

La Communauté est le principal partenaire des pays en développement. Elle absorbe 21,5 % de leurs exportations et, conjointement avec ses États membres, leur fournit 36 % de l'aide totale qu'ils reçoivent. L'aide proprement communautaire est principalement orientée vers l'Afrique sub-saharienne qui en absorbe 63 %, le solde allant à parts à peu près égales à l'Asie (12 %) et à l'Amérique latine-Caraïbes (11 %). L'aide communautaire est très diversifiée : aide d'urgence, aide alimentaire, aide à des projets et à des programmes, aide à la constitution de « joint-ventures », appui aux organisations non gouvernementales, aide à l'agriculture, lutte contre la drogue et le sida, protection de l'environnement.

Les aides financières aux ACP transitent par le fonds européen de développement créé par le traité de Rome. Les pays méditerranéens bénéficient de protocoles financiers, annexés aux accords préférentiels, ou d'associations qu'ils ont conclues avec la Communauté. Les uns et les autres bénéficient de prêts de la Banque Européenne d'Investissements (BEI).

TRANSPORTS

Le traité de Rome (CEE) consacre un chapitre entier aux transports, pour lesquels il prévoit l'établissement d'une politique commune ayant pour premier objectif l'élimination des discriminations fondées sur la nationalité, l'admission des transporteurs non résidents aux transports nationaux et la réduction du coût des formalités aux frontières. L'application de cette politique à la navigation maritime et aérienne était réservée à une décision ultérieure du Conseil prise à l'unanimité et, depuis l'Acte unique*, à la majorité qualifiée.

Pendant des années, aucune décision importante n'a été prise. Le chargement de marchandises par les transporteurs non résidents est demeuré limité par des contingents tandis que le cabotage (transport intérieur) leur était interdit, ce qui avait et a encore aujourd'hui pour conséquence de multiplier les voyages à vide de camions. Une harmonisation des réglementations sociales concernant les temps de conduite était cependant entreprise. Enfin les chemins de fer, exploités le plus souvent par des entreprises d'État, conservaient jalousement leur particularisme en matière de technique (caractéristiques du courant électrique utilisé par les motrices), d'achats de matériels ou, plus récemment, de conception et de réalisation de lignes nouvelles à grande vitesse.

Enfin, aucune décision n'était prise en matière de navigation aérienne et maritime, et certains États membres prétendaient même que les règles générales du traité en matière de concurrence n'étaient pas applicables à ces secteurs.

Le mérite revient au Parlement européen d'avoir fait reconnaître en 1985, par la Cour de Justice, la carence du Conseil dans le domaine des transports terrestres. Un peu plus tard, en 1986, la Cour reconnaissait l'applicabilité des dispositions des règles de la concurrence aux transports maritimes et aériens.

L'absence de politique commune n'avait certes pas empêché l'essor de tous les modes de transport mais avait pour conséquence de maintenir des coûts élevés, notamment pour les transports aériens de passagers intereuropéens, de faire obstacle à la rationalisation des transports par la prise en charge des coûts d'infrastructure et d'environnement, de maintenir le cloisonnement des techniques et des marchés en matière ferroviaire, le tout au détriment des consommateurs, de l'environnement et de l'industrie du matériel de transport.

Les choses ont commencé à bouger à partir de 1985-1986 à la suite des arrêts de la Cour et en vue de la préparation du grand marché intérieur. L'ouverture progressive des contingents de transport routier devrait conduire à leur suppression au 1er janvier 1993 ainsi qu'à l'ouverture du cabotage à la concurrence, ce qui contribuera à réduire le nombre des camions circulant à vide.

En matière routière, le problème le plus aigu est aujourd'hui celui de l'environnement. Une prise en charge insuffisante des coûts d'infrastructure imputables aux poids lourds responsables de l'usure des routes plus que les voitures particulières ainsi que l'accentuation de la concurrence ont eu pour effet un développement excessif des transports routiers au détriment des transports ferroviaires ou fluviaux, moins pratiques mais moins nuisibles à l'environnement.

La suppression des contrôles aux frontières et l'ouverture prochaine du marché unique aura pour effet d'accentuer ce phénomène si des mesures sévères ne sont pas prises. La résistance qu'opposent Suisses et Autrichiens au développement du trafic routier sur leurs réseaux déjà saturés a pour conséquence de reporter une partie du trafic entre l'Allemagne et l'Italie sur les autoroutes françaises elles-mêmes en voie de saturation.

La solution est recherchée dans une harmonisation à un niveau raisonnable des poids et dimensions des véhicules et des trains routiers et surtout dans le développement du transport dit « multimodal », combinant le rail et la route (chargement de camions, de remorques ou de conteneurs sur les trains).

Le développement des trains à grande vitesse, que la SNCF a mené en France avec un grand succès, devrait être l'occasion de définir un schéma européen de nouvelles lignes et, à défaut de l'unification des techniques, leur compatibilité. Le traité de Maastricht* a expressément reconnu que la Communauté doit contribuer « à l'établissement et au développement de réseaux transeuropéens dans les secteurs des infrastructures de transport, des télécommunications et de l'énergie ». Il a aussi permis que soit favorisé l'« interconnexion et l'interopérabilité des réseaux nationaux ainsi que l'accès à ces réseaux ». Espérons que la mise en œuvre de ces dispositions sera plus rapide que celles du chapitre « transports » du traité de Rome.

L'expansion de la demande de transport aérien et la pression de petites compagnies de transport ou de tourisme ont fini par ébranler l'immobilisme et l'archaïsme qui caractérisaient l'organisation du transport aérien en Europe. Un nombre excessif de compagnies, généralement subventionnées par les États et pratiquant néanmoins des tarifs très élevés, portent les couleurs nationales. La surveillance de l'espace aérien continue à relever d'administrations nationales qui ont de plus en plus de mal à coordonner leur action. De ce fait et aussi du fait des exigences des vols militaires d'entraînement, le ciel européen est menacé de saturation. Enfin, le cloisonnement en espaces aériens nationaux et la négociation des droits de trafic par les États aboutit à ouvrir sans contrepartie aux compagnies des pays tiers les liaisons entre métropoles européennes, toujours considérées comme liaisons internationales.

Sans aller jusqu'aux excès de déréglementation qui, aux États-Unis, ont conduit les transports aériens à une situation proche de l'anarchie, les Européens se sont enfin engagés dans la voie de la libéralisation. Les premières mesures ont concerné l'assouplissement de la répartition des sièges offerts dans les liaisons entre pays, l'ouverture de certaines lignes importantes à plusieurs compagnies et un début de libéralisation des tarifs. La négociation en commun des droits de trafic avec les pays tiers se heurte aux avantages acquis par les compagnies de ces pays. Enfin les organismes nationaux de contrôle aérien s'appuient sur les nécessités militaires pour résister à la création d'un organisme central dont l'Eurocontrol n'est qu'une timide préfiguration.

La politique de défense* commune annoncée dans le traité de Maastricht devrait logiquement conduire à une gestion unifiée de l'espace aérien européen.

La navigation intérieure souffre d'importantes surcapacités par suite du déclin des industries lourdes et des transports de pondéreux. La Communauté subventionne, depuis plusieurs années, la réduction de la capacité des flottes (déchirage des péniches).

Enfin la navigation maritime n'a donné lieu jusqu'à présent qu'à de timides avancées concernant la libéralisation des transports entre États membres et avec les pays tiers. Cependant, les transports de cabotage demeurent réservés aux armements nationaux et le projet d'un pavillon communautaire avancé par la Commission ne semble pas prêt d'aboutir.

UNION ÉCONOMIQUE ET MONÉTAIRE

Les traités de Rome ne prétendaient pas établir une union économique et monétaire mais une union douanière assortie de politiques communes. Les États étaient cependant engagés à considérer leur politique de conjoncture et leur politique de taux de change comme d'intérêt commun, à coordonner leurs politiques monétaires « dans toute la mesure nécessaire au bon fonctionnement du marché commun ». Un comité monétaire composé des responsables de la politique monétaire (en France, le directeur du Trésor) était constitué. Un « concours mutuel » était prévu en cas de difficultés dans la balance des paiements d'un État membre. En cas de crise soudaine, un État pouvait recourir à des mesures de sauvegarde soumises a posteriori au contrôle du Conseil agissant sur avis de la Commission.

L'assainissement réalisé par le plan Pinay-Rueff de décembre 1958 et la stabilité des taux de change, assurée dans le cadre des accords de Bretton-Woods, limitèrent le recours à ces dispositions.

Cependant, à la suite de la crise de mai 1968, l'inflation longtemps contenue s'accéléra en France et conduisit à une dévaluation du franc en août 1969, bientôt suivie d'une réévaluation du mark. Les conséquences sur le marché commun agricole et, quelques années plus tard, l'abandon du système de Bretton-Woods et la fluctuation généralisée des monnaies conduisirent à envisager la constitution d'une union économique et monétaire dans le cadre du marché commun*.

En octobre 1972, le communiqué du sommet de Paris annonça imprudemment l'achèvement de l'union économique et monétaire au plus tard le 31 décembre 1980. En fait, les divergences de conception et de politique entre l'Allemagne*, foncièrement attachée à l'objectif de stabilité, et la France pour qui la convergence des politiques serait le résultat de l'union monétaire mais ne pouvait en être le préalable, conduisirent à une série de tentatives avortées (plan Werner de 1970) jusqu'à la création en 1979, à la suite d'un accord entre le président Giscard d'Estaing et le Chancelier Schmidt, du système monétaire européen (SME). Celui-ci a assuré une relative stabilité des taux de change, dont les variations ne pouvaient s'éloigner d'un taux-pivot que de 2,25 % dans chaque sens. Cependant, toutes les monnaies ne participaient pas au mécanisme de change du SME (la livre n'y est entrée qu'au mois d'octobre 1990) et certaines bénéficiaient d'une marge de fluctuation élargie à 6 % (la lire jusqu'en 1991 et aujourd'hui encore la livre, la peseta et l'escudo). Des modifications de parité décidées en commun étaient encore possibles.

Après la ratification de l'Acte unique*, il est apparu que les avantages du marché unique ne seraient pas complets sans la réalisation d'une union monétaire éliminant définitivement l'incertitude des taux de change ainsi que les coûts de transaction. Un groupe de travail, comprenant les gouverneurs des banques centrales, fut chargé en 1988 sous la présidence de Jacques Delors d'élaborer un rapport sur les conditions de réalisation de l'union monétaire.

La conception d'un plan en trois étapes et, à la troisième étape, la création d'une banque centrale indépendante ayant pour mission essentielle d'assurer la stabilité d'une monnaie unique qui sera vraisemblablement l'ECU [1], a été approuvée par le Conseil européen réuni à Madrid en juin 1989. La première étape a commencé le 1er juillet 1990 avec la libre circulation des capitaux. La deuxième, qui verra la création d'un institut monétaire chargé de préparer le passage à la monnaie unique, s'ouvrira le 1er janvier 1994.

Un rapprochement des conceptions et des politiques s'est produit ces dernières années. En France, les gouvernements socialistes ont substitué à la politique laxiste des années 1981-1982, une politique de « désinflation compétitive » à laquelle M. Bérégovoy a attaché son nom. Cette politique est fondée sur la constatation que les politiques laxistes sont inévitablement suivies de politiques d'assainissement si bien qu'en définitive les avantages de croissance que l'on espérait en tirer sont plus qu'annulés.

Cette conviction, désormais partagée par tous les gouvernements, a permis la réalisation d'un accord à Maastricht* qui confirme le ralliement aux conceptions allemandes. Les États se sont engagés à réaliser l'union monétaire et la monnaie unique au plus tard le 1er janvier 1999, mais seulement entre les États qui satisferont à cinq critères ainsi définis :

— inflation moyenne ne dépassant pas d'un point et demi le taux atteint par les trois meilleurs ;

— taux d'intérêt à long terme pas supérieur à 2 points au-dessus des trois meilleurs ;

— déficit budgétaire ne dépassant pas 3 % du produit intérieur brut, sauf s'il est en diminution régulière ou en cas de circonstance exceptionnelle ;

— dette publique ne dépassant pas 60 % du PIB, sauf si elle est en diminution régulière ;

— change stable pendant deux ans au sein du SME.

Si une majorité d'États membres satisfait à ces critères, le passage à la troisième étape, et par conséquent à la monnaie unique, pourra intervenir dès le 1er janvier 1997.

En 1997, comme en 1999, des dérogations seront accordées aux pays ne remplissant pas encore les critères de convergence. Le Royaume-Uni et le Danemark ont obtenu le droit de prendre le moment venu la décision de participer ou non à la monnaie unique. Il ne fait guère de doute qu'en cas de

1. Note sur l'Ecu en fin de ce chapitre.

succès l'adhésion sera générale.

Le ralliement aux conceptions allemandes se produit au moment où l'Allemagne* connaît une inflation inhabituelle, résultat des conditions de sa réunification et du déficit budgétaire qui en a été la conséquence. Il provoque des polémiques en France* où certains contestent l'effet déflationniste de cette politique alors que le pays souffre d'un taux de chômage élevé. La France, comme les autres pays à tradition inflationniste, est en effet tenue à une rigueur supérieure à ce qu'exigerait une situation désormais fondamentalement saine, car la spéculation contre le franc se déclencherait au moindre signe de relâchement. Cette contrainte devrait s'alléger après la réalisation effective de la monnaie unique. L'union monétaire devrait permettre une croissance plus forte dans l'ensemble des pays membres.

ECU

L'Ecu est un sigle anglais à consonance française comme on les aime à Bruxelles (ESPRIT ou ERASMUS sont d'autres exemples similaires) : European Currency Unit ou vieille unité monétaire française remontant à saint Louis et désignant encore par tradition, jusqu'en 1914, la pièce d'argent de cinq francs.

L'ancienne unité de compte de l'Union européenne des paiements utilisée au cours des premières années du marché commun, notamment pour le budget et la gestion des marchés agricoles, équivalait au dollar des États-Unis. Elle est devenue l'Ecu quand sa valeur a été détachée de l'or et déterminée en fonction de celle des monnaies des États membres alors au nombre de neuf. Il s'est agi d'un « panier » de monnaies, non d'une véritable monnaie. Aujourd'hui, la valeur de l'Ecu est égale à la somme d'une quantité fixe de chacune des 11 monnaies des États membres, déterminée en fonction de l'importance économique de chaque pays.

La part de chaque monnaie est la suivante :

- mark allemand	30,1 %
- franc français	19 %
- livre sterling	13 %
- lire italienne	10,15 %
- florin néerlandais	9,40 %
- franc belge (et luxembourgeois)	7,90 %
- pesète espagnole	5,30 %
- couronne danoise	2,45 %
- drachme grecque	0,80 %
- livre irlandaise	1,10 %
- escudo portugais	0,80 %

Depuis la création de l'Ecu, la composition du panier a été modifiée à plusieurs reprises pour tenir compte de l'évolution des diverses monnaies ou de l'adhésion de nouveaux États.

Il a été décidé à Maastricht* que l'Ecu deviendrait monnaie unique au plus tard en 1999, pour les États répondant aux critères fixés. Il changera alors de nature et deviendra une monnaie à part entière gérée par une banque centrale indépendante.

Dès le 1er janvier 1993, date d'entrée en vigueur prévue pour le nouveau traité, la composition de l'Ecu sera gelée. Ainsi en cas de dévaluation d'une monnaie, sa part dans le panier sera diminuée, ce qui est un gage de stabilité de la valeur de l'Ecu.

Les études préalables à l'impression des billets en Ecus vont être entreprises sans tarder. Il est probable que ces billets comporteront une image européenne commune d'un côté et une image propre à chaque pays, tous les billets ayant cours dans tous les pays ayant adopté la monnaie unique.

Dès à présent, l'Ecu panier est l'unité de compte de la Communauté et l'instrument de gestion du SME. Par ailleurs, un important marché de l'Ecu privé, par opposition à l'Ecu officiel, s'est développé depuis 1979. L'État français a placé des emprunts en Ecus. Depuis 1979, les citoyens français ont la possibilité de se faire ouvrir des comptes en Ecus dans les banques.

Seuls les Allemands, qui considèrent à juste titre le mark comme le symbole de leur réussite économique, éprouvent une certaine allergie à l'égard de l'Ecu dont la sonorité en langue allemande n'est pas heureuse. Aussi suggèrent-ils d'appeler la monnaie européenne « euromark » en Allemagne, « eurofranc » en France, « eurolivre » en Angleterre, etc. L'essentiel est que l'objectif de la monnaie unique, au plus tard au 1er janvier 1999, ne soit pas remis en cause.

UNION EUROPÉENNE

Le terme d'Union européenne apparaît pour la première fois dans le vocabulaire officiel lors d'un Sommet de chefs d'État et de gouvernement tenu à Paris en octobre 1972 sous la présidence de Georges Pompidou à la veille de l'adhésion de la Grande-

Bretagne, du Danemark et de l'Irlande. Le communiqué du Sommet déclare que les participants sont décidés à rassembler toutes leurs formes de coopération en une Union européenne avant la fin de la présente décennie.

Cette déclaration s'est inscrite avec beaucoup d'autres sur la longue liste des annonces prématurées et des promesses non tenues. En effet, l'ambiguïté du terme Union européenne dissimule mal de profonds désaccords au sujet de la nature de cette Union que les délibérations de Maastricht* n'ont que partiellement surmontés.

Pris à la lettre le terme d'union peut paraître plus intégrationniste, plus supranational, plus ambitieux, que celui de communauté ou même de fédération. Le passage de la Communauté à l'Union devait être, dans la logique de la construction européenne, l'extension des compétences de la Communauté* à des domaines nouveaux, ceux en particulier de la politique étrangère et de la défense.

En réalité, les tenants avoués ou non avoués (ces derniers existent partout) de l'Europe des États n'envisagent de transferts de souveraineté qu'au profit d'organes intergouvernementaux. Tout au plus certains admettent-ils une évolution ultérieure vers la communautarisation de ces domaines.

La solution adoptée à Maastricht prévoit la coexistence pour une période de durée indéterminée de deux domaines distincts : un domaine communautaire considérablement élargi notamment à l'union économique et monétaire et un domaine de coopération ou de politiques communes décidées à l'unanimité et conduites pour l'essentiel par les représentants des États. L'Union qui, contrairement à la Communauté, n'a pas de personnalité juridique propre, recouvre ces deux domaines mais dispose d'une structure institutionnelle unique. L'existence de cette structure unique (voir Institutions*), les rendez-vous pris à différentes échéances et les exigences d'efficacité et de non-dilution qui résulteront des adhésions ultérieures permettent d'escompter un rapprochement progressif des deux domaines.

Cependant les fédéralistes, qui n'ont pu obtenir à Maastricht de M. Major le maintien dans les accords de l'affirmation de la vocation fédérale de l'Union, véritable chiffon rouge pour les thatchériens, devront être attentifs au risque d'une évolution à rebours vers l'intergouvernemental. Tel serait le cas si le statut de la Commission se trouvait réduit à celui d'un organe technique subordonné aux gouvernements ou encore si les Parlements nationaux s'arrogeaient un droit de veto sur les décisions communautaires prises contre l'avis des représentants de leur pays au Conseil ou au Parlement*.

La pierre de touche de la réalisation d'une Union européenne digne de ce nom sera l'établissement d'un Exécutif politique commun, distinct des gouvernements des États et revêtu par son mode de désignation d'une légitimité* démocratique incontestable.

UNION DE L'EUROPE OCCIDENTALE

L'UEO trouve son origine dans le traité « de légitime défense collective » signé à Bruxelles le 17 mars 1948 entre la France*, le Royaume-Uni* et les trois pays du Benelux*. Son objet était d'étendre l'alliance défensive conclue un an plus tôt entre la France et la Grande-Bretagne. Il était dirigé contre l'éventuelle « reprise d'une politique d'agression de la part de l'Allemagne », expressément désignée, mais aussi contre la menace soviétique tout récemment illustrée par le coup d'État qui, en février 1948, avait mis fin à la démocratie tchécoslovaque et imposé à ce pays une dictature communiste qui allait durer quarante ans.

Le traité de Bruxelles avait été chaleureusement approuvé par le président des États-Unis Harry Truman et préludait à la conclusion du Pacte atlantique (avril 1949). Il comportait une clause d'assistance automatique en cas d'agression, allant au-delà de l'engagement conclu dans le cadre atlantique.

En 1950, l'invasion de la Corée du Sud par la Corée du Nord et la guerre qui s'en suit, après décision du Conseil de sécurité des Nations unies, font redouter une action similaire de l'URSS en Europe. Cette situation conduit les États-Unis à demander à leurs alliés européens d'associer l'Allemagne* à l'Alliance atlantique. René Pleven, chef du gouvernement français, propose la création d'une Communauté européenne de défense (CED) qui intégrerait des contingents allemands et éviterait la renaissance d'une armée allemande (voir Défense*). Après le rejet de la CED par le Parlement français, le président du Conseil, Pierre Mendès France, accepte, dans une série d'accords signés à Paris en octobre 1954, de faire du pacte de Bruxelles le cadre du réarmement allemand. L'organisation est élargie à l'Allemagne* et à l'Italie* et prend le nom d'Union de l'Europe occidentale. Elle cesse d'être dirigée contre l'Allemagne mais établit un contrôle sur le niveau des forces déployées sur le continent européen, ce qui permet au Royaume-Uni d'échapper à tout contrôle sur ses propres forces. L'Allemagne confirme sa renonciation aux armes nucléaires, bactériologiques et chimiques (ABC). Le nouveau traité maintient les attributions économiques, sociales et culturelles du traité de Bruxelles qui n'avaient reçu qu'une application limitée et seront abandonnées *de facto* en vue d'éviter un double emploi avec le Conseil de l'Europe et surtout avec les Communautés européennes. De même, les Accords de Paris prévoyaient une coopération étroite avec l'Organisation du Traité de l'Atlantique Nord (OTAN) et manifestaient l'intention « d'éviter tout double emploi avec les états-majors de l'OTAN ».

Dès lors, l'UEO sera condamnée à une existence effacée. Elle fera figure de parente pauvre des institutions européennes et ne connaîtra un certain renouveau d'activité qu'à l'occasion des difficultés rencontrées par ses grandes rivales que sont l'Alliance atlantique et la Communauté*.

Le veto opposé en janvier 1963 à la première candidature britannique par le général de Gaulle* sera l'occasion d'une première relance, l'UEO devenant le siège de « consultations », au demeurant formelles, entre les Six et le Royaume-Uni. Ces consultations, auxquelles la France avait refusé de participer à partir de février 1969, cessèrent avec l'adhésion du Royaume-Uni et l'organisation d'une coopération politique en marge des Communautés, à partir de 1970-1972.

Une deuxième relance fut tentée à l'initiative de la France et de la Belgique à la suite de la crise des euro-missiles qui avait révélé l'ampleur de la menace soviétique et la nécessité d'une participation plus active des Européens à leur sécurité. Cependant, la déclaration adoptée à Rome en octobre 1984 n'eut guère d'autres suites concrètes que la reprise de réunions régulières et conjointes des ministres des Affaires étrangères et de la Défense des sept États membres.

Une troisième tentative de relance également d'initiative française eut lieu sous le gouvernement dit de cohabitation dirigé par Jacques Chirac. Elle conduisit à l'adoption le 26 octobre 1987 d'une « plate-forme » constatant que « la construction d'une Europe intégrée restera incomplète tant que cette construction ne s'étendra pas à la sécurité et à la défense » et souhaitant « une identité européenne en matière de défense » traduisant plus efficacement les engagements souscrits dans le traité de Bruxelles et dans le Pacte atlantique. L'année précédente les réticences irlandaises, danoises et britanniques avaient empêché les Douze d'élargir leur coopération au-delà d'un engagement assez imprécis de « coordonner davantage leurs positions sur les aspects politiques et économiques de la sécurité ».

L'insécurité de la navigation dans le golfe arabo-persique résultant de la guerre entre l'Irak et l'Iran fournit à l'UEO l'occasion d'une nouvelle relance qui, pour la première fois, se traduisit par une opération militaire interalliée. Une force de chasseurs de mines composée de bâtiments français, britanniques, belges et néerlandais entreprit le nettoyage du Golfe, tandis que des bâtiments allemands assuraient une mission de remplacement en Méditerranée. A partir d'août 1990, des représentants du Danemark, de la Grèce et de la Turquie ont assisté aux réunions ministérielles relatives à la crise du Golfe, à titre d'observateurs.

Dans le même temps, 1987-1988, l'Espagne et le Portugal rejoignaient l'UEO, le protocole d'adhésion signé en novembre 1988 est entré en vigueur le 27 mars 1990. La Turquie et la Grèce qui avaient également fait acte de candidature en 1988 étaient admises à envoyer des observateurs à l'Assemblée, tandis qu'une procédure de consultation spéciale était organisée à leur intention au niveau ministériel.

La relance de l'organisation s'est également traduite par la création de plusieurs groupes de travail (problèmes politiques et militaires, questions spatiales) et d'un institut européen d'études de sécurité ayant son siège à Paris.

La guerre du Golfe et la crise

yougoslave auraient pu fournir à l'UEO une nouvelle occasion de manifester la présence militaire de l'Europe. Il n'en fut rien par suite des divergences d'attitude des États membres, l'Allemagne en particulier considérant que sa Constitution lui interdit toute intervention extérieure hors du cadre de l'OTAN. Ces deux expériences ont souligné cruellement la faiblesse des institutions européennes.

Cependant, les travaux du groupe relatif aux questions spatiales a abouti à une réalisation concrète : la création en 1992 d'un centre de surveillance satellitaire sur la base de Torrejon, à proximité de Madrid.

Les négociations sur l'union politique européenne qui ont conduit aux accords de Maastricht* ont marqué la dernière et sans doute la plus importante relance de l'UEO. Les Douze ont en effet décidé de faire en quelque sorte de l'UEO le bras armé de l'Union européenne*. Ils ont ainsi surmonté provisoirement le conflit entre fédéralistes et confédéralistes, européistes et atlantistes. La Communauté n'a pas vu ses compétences s'élargir à la défense comme le souhaitaient les fédéralistes que l'Allemagne aurait volontiers rejoints. Mais les Douze ont fait un pas significatif en direction de cette introuvable identité de défense mentionnée dans la plate-forme de 1987.

L'articulation entre défense européenne et solidarité atlantique a donné lieu à des débats difficiles entre champions d'une défense européenne autonome, France et Allemagne principalement, et champions de l'atlantisme, Royaume-Uni, Pays-Bas et Italie. Le compromis inscrit dans le protocole annexe au traité de Maastricht relatif à l'UEO repose sur la notion de compatibilité : la défense commune envisagée à terme devra être « compatible avec celle de l'Alliance atlantique ». L'UEO est appelée à devenir le pilier européen de l'Alliance.

Le débat reste ouvert entre ceux qui considèrent cette formule comme une étape devant conduire le plus tôt possible à une structure politique unique — Communauté ou Union — couvrant l'ensemble du champ de l'intégration, et ceux qui désirent maintenir longtemps, sinon indéfiniment, une structure duale laissant le champ de la défense pour les uns dans le domaine intergouvernemental et pour d'autres et parfois les mêmes (Royaume-Uni) dans le domaine atlantique.

La présence de l'Islande neutre dans la Communauté, la candidature de l'Autriche, de la Suède et de la Finlande, les réticences danoises et portugaises sont autant de raisons qui militent en faveur d'un dualisme durable. Mais il faut être conscient de ce que, si cette thèse devait triompher, les chances de voir l'Europe devenir un acteur majeur de la politique mondiale seraient extrêmement faibles. D'où l'importance capitale des conditions dans lesquelles se fera l'adhésion des pays membres de l'AELE. Si la Communauté admet leur adhésion sans qu'ils aient à abandonner leur politique de neutralité, elle aura, par là même, renoncé à ses chances de devenir une grande puissance capable d'influencer de manière décisive l'ordre mondial.

Les institutions de l'UEO consistent en un Conseil ministériel assisté d'un comité permanent et d'une Assemblée parlementaire composée de 108 délégués des Parlements nationaux (18 pour l'Allemagne, la France, l'Italie et le Royaume-Uni, 12 pour l'Espagne, 7 pour la Belgique, les Pays-Bas et le Portugal, 3 pour le Luxembourg). Les parlementaires ont autant de suppléants.

Le siège du Conseil ministériel et du Secrétariat est à Londres. L'Assemblée tient deux sessions par an à Paris au Palais d'Iéna et se réunit parfois dans d'autres capitales. A la suite des accords de Maastricht, il est prévu que le Comité permanent et le Secrétariat rejoignent Bruxelles, afin de se rapprocher de la Communauté et de l'OTAN. Ainsi, le Comité permanent devra être désormais composé des représentants permanents des États membres à la Communauté et à l'OTAN.

Le pacte de Bruxelles qui avait été conclu pour cinquante ans arrive à expiration en 1998. La question de son absorption par l'Union européenne proposée par l'Italie au cours de la négociation des accords de Maastricht se posera donc bientôt. Un réexamen de la place de l'UEO dans l'Union européenne est expressément prévu dès 1996.

LES DATES REPÈRES DE LA CONSTRUCTION EUROPÉENNE

19 septembre 1946	Discours de Churchill à Zurich appelant à la réconciliation franco-allemande et à la création des « États-Unis d'Europe ».
Avril 1848	Création de l'organisation européenne de coopération économique (OECE) en vue de gérer l'aide américaine (plan Marshall) et de libérer les échanges en Europe.
Mai 1948	Congrès de La Haye. Fondation du Mouvement Européen.
Avril 1949	Signature du Pacte atlantique à Washington.
Mai 1949	Naissance du Conseil de l'Europe.
9 mai 1950	Déclaration de Robert Schuman proposant la création d'une Communauté européenne du charbon et de l'acier (CECA).
18 avril 1951	Signature à Paris du Traité créant la CECA.
10 août 1952	Installation à Luxembourg de la Haute Autorité de la CECA présidée par Jean Monnet.
10 mars 1953	Adoption par l'Assemblée de la CECA d'un projet de Communauté politique européenne destiné à compléter la Communauté de défense (CED).
30 août 1954	Rejet du projet de CED par l'Assemblée nationale française sous le gouvernement de Mendès-France suivi en octobre par la décision de réarmer l'Allemagne dans le cadre de l'Union de l'Europe occidentale et du Pacte atlantique.
Juin 1955	Conférence de Messine relançant la construction européenne.
25 mars 1957	Signature à Rome des traités créant la Communauté économique européenne (CEE) et l'Euratom.
1er janvier 1958	Entrée en vigueur des traités de Rome. Installation des Commissions à Bruxelles.

Juillet 1961	Première candidature du Royaume-Uni présentée par le cabinet Macmillan.
Janvier 1962	Adoption des règlements de base de la politique agricole commune.
Avril 1962	Échec des négociations relatives au plan Fouchet d'Union des États européens.
Juillet 1962	Le président Kennedy propose un « partnership » entre les États-Unis et la Communauté européenne.
14 janvier 1963	Conférence de presse du général de Gaulle mettant fin aux négociations en vue de l'adhésion du Royaume-Uni.
23 janvier 1963	Signature à l'Élysée par le général de Gaulle et le chancelier Adenauer d'un traité d'amitié entre la France et l'Allemagne.
30 juin 1965	Suspension de la participation de la France aux travaux de la Communauté (crise de la chaise vide).
29, 30 janvier 1966	Compromis de Luxembourg permettant la reprise des travaux communautaires, tout en écartant *de facto* le recours au vote majoritaire dans le Conseil.
1er juillet 1967	Mise en place de la Commission unique et du Conseil unique par le traité sur la fusion des institutions.
1er juillet 1968	Achèvement de l'union douanière avec dix-huit mois d'avance.
Avril 1970	Traité créant les ressources propres et renforçant les pouvoirs budgétaires du Parlement européen.
30 juin 1970	Ouverture des négociations en vue de l'adhésion du Royaume-Uni, de l'Irlande, du Danemark et de la Norvège.
27 octobre 1970	Approbation des propositions Davignon concernant l'organisation de la coopération politique.
1er janvier 1973	Entrée en vigueur des traités d'adhésion signés le 22 janvier 1972 par les quatre candidats. Le peuple norvégien n'a pas ratifié. La Communauté passe de six à neuf États membres.

DATES REPÈRES

9-10 décembre 1974	Sommet de Paris créant le Conseil européen et posant le principe de l'élection directe du Parlement.
1er août 1975	Signature de l'Acte final d'Helsinki créant la Conférence pour la Sécurité et la Coopération en Europe (CSCE).
Janvier 1976	Présentation du rapport du Premier ministre belge Tindemans sur l'Union européenne.
13 mars 1979	Entrée en vigueur du système monétaire européen (SME).
7-10 juin 1979	Premières élections du Parlement européen au suffrage universel direct.
1er janvier 1981	Entrée en vigueur du traité d'adhésion de la Grèce. La Communauté passe de neuf à dix États membres.
20 janvier 1983	Discours de François Mitterrand au Bundestag : « Les pacifistes sont à l'Ouest, les missiles sont à l'Est ».
14 février 1984	Adoption par le Parlement européen du projet de traité d'Union européenne sous l'impulsion d'Altiero Spinelli.
25, 26 juin 1984	Accord au Conseil européen de Fontainebleau sur la contribution britannique au budget mettant fin à une querelle de plus de dix ans.
1er janvier 1985	Jacques Delors, nommé six mois plus tôt, devient président de la Commission européenne.
1er janvier 1986	Entrée en vigueur des traités d'adhésion de l'Espagne et du Portugal sept ans après l'ouverture des négociations. La Communauté compte douze États membres.
1er juillet 1987	Entrée en vigueur de l'Acte unique européen approuvé le 2 décembre précédent par le Conseil européen. L'échéance du 31 décembre 1992 est fixée pour la réalisation du grand marché intérieur.
Juin 1989	Approbation d'un plan d'union monétaire en trois étapes par le Conseil européen de Madrid.

DATES REPÈRES

9 novembre 1989	Chute du mur de Berlin, point culminant d'une année marquée par l'effondrement du communisme en Europe centrale et orientale.
18 avril 1990	Le chancelier Kohl et le président Mitterrand proposent de compléter le projet d'union monétaire par une union politique.
3 octobre 1990	Réunification de l'Allemagne par adhésion de la RDA à la République fédérale. La Communauté européenne s'élargit sans traité d'adhésion.
10-11 décembre 1991	Approbation du traité d'Union européenne par le Conseil européen de Maastricht. Le traité est signé à Maastricht le 7 février 1992.

PRINCIPALES ÉCHÉANCES À VENIR

1er janvier 1993	Achèvement du marché unique et entrée en vigueur des accords de Maastricht.
1996	Rendez-vous en vue du renforcement des dispositions en matière de citoyenneté, de politique étrangère et de sécurité et des pouvoirs du Parlement.
1er janvier 1997 ou au plus tard 1999	Création de la banque centrale européenne et passage à la monnaie unique le 1er janvier entre les États répondant aux critères de convergence.

POUR EN SAVOIR PLUS

Jean-Pierre GOUZY, *Les pionniers de l'Europe communautaire*, Centre de recherches européennes, Lausanne, 1968.

Robert TOULEMON et Jean FLORY, *Une politique industrielle pour l'Europe*, PUF, 1974.

Émile NOËL, *Les rouages de l'Europe*, F. Nathan, 1976.

Jean MONNET, *Mémoires*, Fayard, 1976.

Jean-François DENIAU, *L'Europe interdite*, Le Seuil, 1977.

Jean-Claude MASCLET, *L'Union politique de l'Europe*, Que sais-je ? PUF, 1978.

Louis CARTOU, *Communautés européennes*, Précis Dalloz, 1981.

Pierre GERBET, *La construction de l'Europe* [ouvrage fondamental], Imprimerie Nationale, 1982.

Michel ALBERT, *Un pari pour l'Europe*, Le Seuil, 1983.

Philippe MOREAU-DEFARGES, *Quel avenir pour quelle communauté ?*, IFRI, Economica, 1986.

Robert MARJOLIN, *Le travail d'une vie*, Robert Laffont, 1986.

Edgar MORIN, *Penser l'Europe*, Gallimard, 1987.

Dominique BOCQUET, Philippe DELLEUR, *Génération Europe*, Éd. François Bourin, 1989.

J.-B. DUROSELLE, *L'Europe. Histoire de ses peuples* [très bel ouvrage illustré], Librairie académique Perrin, 1990.

Jean-Luc MATTHIEU, *La Communauté européenne, marché ou État ?* Nathan, 1990.

Jacques LESOURNE, Bernard LECOMTE, *L'après-communisme*, Robert Laffont, 1990.

Michel ALBERT, *Capitalisme contre capitalisme*, Le Seuil, 1991.

Dominique MOISI, Jacques RUPNIK, *Le nouveau continent. Plaidoyer pour une Europe renaissante*, Calmann Lévy, 1991.

Alain PRATE, *Quelle Europe ?* [par un ancien collaborateur du général de Gaulle], Julliard, avril 1991.

Pierre MAILLET, *La politique économique dans l'Europe d'après 1993*, PUF, janvier 1992.

J. SCHAPIRA, G. LE TALLEC, J.-B. BLAISE, *Droit européen des affaires*, PUF, Thémis, février 1992.

Divers auteurs des différents pays d'Europe, *Une histoire de l'Europe*, Hachette-Éducation, avril 1992.

QUELQUES MOTS IMPORTANTS
traités sous d'autres rubriques

Adenauer, de Gasperi, Monnet, Schuman, Spaak	Voir Pères de l'Europe
AELE	Voir GATT
Congrès de La Haye	Voir Conseil de l'Europe et Pères de l'Europe
Conseil (de ministres), Conseil européen, Commission	Voir Exécutif et Institutions
Coopération politique	Voir Acte unique
Espace économique européen	Voir GATT
Mouvement européen	Voir Pères de l'Europe
OECE, OCDE	Voir Atlantisme et Royaume-Uni
Subsidiarité	Voir Culture et Fédéralisme

TABLE DES MOTS CHOISIS

Achevé d'imprimer le 8 avril 1992
dans les ateliers de Normandie Impression s.a.
à Lonrai (Orne)
pour le compte des éditions Desclée de Brouwer.
N° d'impression : I20623
Dépôt légal : avril 1992

Imprimé en France